Mon petit cœur imbécile

Xavier-Laurent Petit

Mon petit cœur imbécile

Illustrations de Gabriel Gay

l'école des loisirs
11, rue de Sèvres, Paris 6e

Loi n° 49.956 du 16 juillet 1949 sur les publications
destinées à la jeunesse : septembre 2009
Dépôt légal : juin 2020
Imprimé en France par Gibert Clarey Imprimeurs
à Chambray-lès-Tours

ISBN 978-2-211-23566-2

À Sylvie Dodeller.
À Jeanne, Hélène et la petite Colette.

Cette histoire doit beaucoup
à Chemokil Chilapong, première du
marathon de Nairobi en 2004.

1

Il est très tôt, le soleil n'est pas encore levé et je ne dors pas. Allongée sur mon matelas de paille, j'écoute les battements de mon cœur.

Toudoum… Toudoum… Toudoum…

Trois mille quatre cent dix-sept jours qu'il bat comme cela. Sans jamais s'arrêter. Et ça, c'est une bonne nouvelle.

À quelques pas de moi, Maswala dort encore. Je me réveille toujours un peu avant elle.

Il paraît qu'ailleurs, en Europe ou en Amérique, les gens habitent de grandes maisons pleines de pièces. Je ne sais pas si c'est vrai mais ce qui est sûr, c'est qu'il n'y a rien de ça chez nous. Comme toutes celles du village, notre *keja* n'a qu'une seule pièce qui sert à la fois de cuisine, de chambre et d'abri contre le soleil, le vent ou la pluie, ça dépend. C'est là que nous vivons tous les quatre : les parents qui dorment derrière le grand rideau, grand-mère Thabang dont la maison s'est écroulée à la dernière saison des pluies, et moi.

Quand je dis quatre, je triche un peu. La vérité, c'est que Pa'Jabari, mon père, travaille à des milliers de kilomètres d'ici, sur des chantiers tellement immenses qu'ils n'en finissent jamais. Voilà plus de deux ans qu'il n'est pas revenu, mais, chaque mois, il envoie un peu d'argent et appelle Kathelo, l'épicier, le seul à avoir un téléphone dans le village. Il lui dit que tout va bien, qu'on ne doit pas s'inquiéter et qu'il rentrera bientôt. Et Kathelo vient nous répéter tout ça. Sauf que Pa'Jabari ne rentre jamais.

On est donc trois à vivre dans notre keja. Maswala, grand-mère Thabang et moi.

Enfin... Je ne compte pas onc'Benia, le frère de Maswala, un colosse un peu bizarre qui ne parle jamais mais se contente de rire et de chantonner sans fin en gardant les brebis dans les collines. La plupart du temps, onc'Benia dort dehors, au milieu de ses bêtes, mais parfois, à la saison des pluies, ou quand le vent souffle trop fort, il vient dormir avec nous. Il se couche toujours au même endroit, juste devant la porte, pour rester tout près de ses brebis. Ou peut-être pour nous protéger. Sauf Maswala, grand-mère et moi, tout le monde ici l'appelle Zuzu, l'idiot. Mais onc'Benia n'est pas si *zuzu* que ça. Parfois je me dis qu'il comprend plein de trucs.

2

J'entrouvre les paupières, Maswala se lève.

Le rideau s'écarte, elle s'approche sans un bruit et s'accroupit à côté de moi. Comme chaque matin, je fais semblant de dormir. Elle se doute bien un peu que je joue la comédie, mais elle ne dit rien. Elle s'assure que je respire et, quand elle en est bien certaine, elle m'effleure la joue et remonte ma couverture. Moi, je ne bouge pas. J'adore ce moment. Celui où je me dis que je suis encore bien vivante.

Le vent du désert s'est levé cette nuit. Un vent si chaud qu'il tarit les sources et assoiffe les bêtes en soulevant de grands tourbillons de sable. Je l'entends gémir à travers les planches. Les moutons bêlent à fendre l'âme et notre chien, Kimbaj, gronde comme un démon. Personne ici n'aime ce vent, ni les hommes, ni les animaux. Mais moi je le déteste encore plus que les autres. Les jours où il souffle, c'est à peine si je peux bouger tellement la poussière m'empêche de respirer. Je reste étendue, à haleter comme une bête à bout de forces pendant que grand-mère Thabang me tient la main en marmonnant sans fin des mots que je ne comprends pas.

Mais rien ne pourrait arrêter Maswala, pas même le vent.

– *Tutaonana*, Sisanda, murmure-t-elle. À tout à l'heure, Sisanda.

Elle entrouvre la porte, une rafale s'engouffre dans la pièce et, dans le demi-jour, je devine les longues jambes brunes de ma mère et la tache plus claire de son short. Elle se glisse dehors et s'éloigne en courant. Je ferme les yeux et je compte jusqu'à vingt avant de rouvrir la porte, juste à temps pour voir Maswala disparaître dans la grisaille du petit matin.

Parfois, je garde les yeux fermés et je l'imagine en train de courir dans les collines. Comme si je pouvais entendre son souffle, sentir sa sueur couler et voir ses pieds nus rebondir sur le sol…

Maswala court tous les jours. Pendant des heures. C'est comme ça. Et, quand on lui demande pourquoi, elle éclate de rire.

– Je ne sais pas. Il faut demander à mes jambes. Le matin, elles ont envie de courir. Alors je suis bien obligée de les suivre !

Grand-mère Thabang allume sa pipe et lâche un nuage de fumée.

– Quand j'étais enceinte, fait-elle en souriant de sa vieille bouche édentée, ta mère gigotait sans cesse dans mon ventre ! Elle avait déjà envie de courir. Swala n'a jamais su marcher, elle a tout de suite couru, sauté, bondi… Rien ne pouvait l'en empêcher.

Swala, chez nous, ça veut dire l'antilope.

Ce n'est pas le vrai nom de ma mère, bien sûr, mais tout le monde l'appelle comme ça.

Quant à moi, je l'appelle *Maswala.* Maman-tilope.

– Swala a toujours aimé courir, reprend

grand-mère Thabang, mais après ta naissance, ma petite princesse, elle s'est mise à courir comme une folle ! Rien ne l'arrêtait ! Elle partait jusqu'au cœur des collines, là où même les bergers ne vont pas avec leurs troupeaux, comme si elle voulait courir à ta place, pour toi qui ne le peux pas.

Moi qui ne peux pas courir.

Mon cœur, mon petit cœur… C'est à cause de toi que je ne peux pas courir.

À cause de toi que je ne peux ni sortir, ni sauter, ni jouer avec les autres, ni rien… À cause de ta maladie idiote.

C'est aussi à cause de toi que j'ai parfois l'impression d'étouffer si fort que tout le monde pense que je vais mourir.

C'est encore à cause de toi que demain Maswala ne pourra pas courir.

Parce que demain, comme chaque année, on partira très tôt dans le vieux tacot de Zacaria et on roulera pendant des heures jusqu'à l'hôpital pour voir comment tu vas, mon petit cœur imbécile…

Oui, parfaitement ! Mon petit cœur imbécile !

Le jour où tu cesseras de faire n'importe quoi, je ne t'appellerai plus que « mon petit cœur adoré », c'est promis. Mais pas avant.

elle est aller mourir.

3

L'hôpital est à six heures de route. Ou plutôt six heures de piste, dans la chaleur, le vent et la poussière. Six heures de tape-cul, à valdinguer dans la Land Rover de Zacaria qui fait de son mieux pour éviter les trous pendant que Maswala fait de son mieux pour me protéger de la poussière.

Heureusement, ça n'arrive qu'une fois par an !

L'hôpital apparaît enfin. Une bâtisse longue et basse, écrasée de chaleur et à demi cachée par les tourbillons de sable.

Zacaria se gare à côté de voitures aussi déglinguées que la sienne. Accroupis à l'ombre d'un gros acacia, les malades et leur famille attendent leur tour. Certains discutent sans fin ou lisent le journal en buvant du thé très fort tandis que d'autres somnolent à l'ombre, agacés par les mouches qui tournicotent.

De loin, un grand type m'adresse un sourire. C'est Mwaï, l'infirmier.

– *Hodi*, Sisanda ! Alors… Comment ça va, la vie ?

Je me demande s'il connaît le nom de chacune des personnes qui ont mis le pied dans l'hôpital.

Une rafale de vent emporte ma réponse et les tôles du toit grondent comme si elles allaient s'arracher. L'hôpital est à peu près dans le même état que le 4 × 4 de Zacaria. Tout aussi miteux et délabré.

C'est toujours le même médecin qui me suit depuis que je suis née. Apollinaire Njabolo. Un tout petit docteur, si court sur pattes qu'à côté de lui Maswala ressemble à une géante. À peine est-on entrées dans son bureau qu'il lui demande de s'asseoir pour être à la bonne hauteur et me regarde avec de grands yeux. Comme s'il n'en revenait pas de me voir encore en vie.

– Alors, Sisanda, ça te fait quel âge, maintenant ?

– Trois mille quatre cent dix-huit jours.

Devant son air effaré, je traduis.

– Neuf ans, quatre mois et neuf jours. Plus deux jours pour les années bissextiles.

C'est exactement la même chose que trois mille quatre cent dix-huit jours, bien sûr. Mais pas tout à fait quand même… Trois mille quatre cent dix-huit, ça donne l'impression de faire beaucoup. Et pour les gens comme moi, c'est important d'avoir vécu beaucoup de jours.

Plusieurs fois, j'ai entendu Apollinaire dire à Maswala que ma vie ne tenait qu'à un souffle, que mon cœur pouvait me lâcher à chaque instant. Il chuchotait ça du bout des lèvres, pendant que je me rhabillais, persuadé que je ne l'entendais pas.

Quand j'étais petite, je ne comprenais rien de ce qu'il racontait, mais, au fil des années, j'ai fini par réaliser que je pouvais mourir à chaque instant. Pouf ! Comme ça. Avant même de pouvoir terminer cette phrase…

Et depuis, cette idée-là reste toujours tapie dans un coin de mon cerveau, comme un scorpion sous une pierre. Mais, en même temps, je suis sûre que ça n'arrivera jamais. Mon petit cœur imbécile continuera toujours de battre.

Je ne peux pas mourir tout de suite. C'est impossible, tout simplement. Ceux qui meurent pour de vrai, ce sont les vieux comme grand-mère Thabang, qui a vécu si longtemps que personne ne connaît son âge exact. Même pas elle ! Trente mille jours, ou peut-être plus. Mais moi, je n'ai vécu que trois mille quatre cent dix-huit petites journées…

Je n'y pense vraiment que lorsque j'ai une crise et que mon cœur se met soudain à cogner et à palpiter si fort qu'il semble sur le point d'exploser. Lorsque le vent du désert se met à souffler en soulevant des nuages de poussière, par exemple, ou bien quand je dois faire un effort. Ou bien encore au cœur de la saison des pluies, lorsque tout ruisselle et que l'air lui-même devient épais comme de la boue. Mais, le plus souvent, ça arrive comme ça. Sans prévenir. Juste parce que mon petit cœur imbécile a très fort envie de faire l'imbécile. Dans ces moments-là, je ne peux rien faire. Même pas parler. Le moindre geste m'épuise. Alors j'écoute le grand vacarme de mon cœur et j'attends, toute pantelante, qu'il se calme. Parfois, lorsque la crise est très grave, il faut glisser entre mes lèvres dix gouttes d'un médicament affreusement amer qu'Apollinaire m'a donné un jour. (terribly bitter

– Ne t'en sépare jamais, Sisanda, a-t-il insisté. C'est ton assurance-vie.

Je lui ai demandé si ça voulait dire que j'étais assurée de vivre, mais Apollinaire a fait la sourde oreille, plongé dans l'écriture d'une ordonnance.

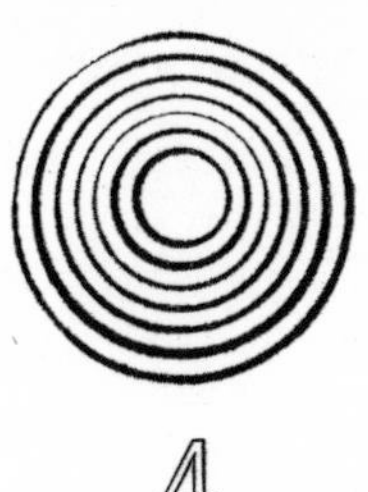

4

Mes ennuis ont commencé le jour de ma naissance.

C'est bien simple, j'étais à peine née que j'ai failli mourir. C'était au moment de la grande saison des pluies. Le ciel ruisselait, l'eau dévalait les rues, la boue envahissait les maisons et les puits débordaient. L'orage qui s'est abattu ce jour-là était si violent que la terre semblait se fendre sous les coups du tonnerre. Je suis sortie du ventre de Maswala toute moche et violacée, à peu près incapable de respirer. Heureusement, grand-mère Thabang était là. Elle connaît les mots et les herbes qui guérissent, mais, surtout, elle connaît mieux que personne les secrets de la naissance et du ventre des femmes. La plupart des gens d'ici sont nés entre ses mains et tous l'appellent *Mama* Thabang, comme s'ils étaient ses propres enfants.

Certains disent même que grand-mère est un peu sorcière. *Labda, mwenzangu, labda…* leur répond-elle. Peut-être bien, mon ami, peut-être bien…

Quels mots grand-mère Thabang a-t-elle prononcés le jour de ma naissance, lorsqu'elle m'a emportée au milieu des éclairs déchaînés ? Avec quelles herbes a-t-elle frotté ma peau ? Qu'a-t-elle glissé entre mes minuscules lèvres de bébé ?… Personne ne le sait. Ce qui est certain, c'est qu'elle a réussi à m'insuffler un tout petit peu de vie. Juste assez pour que je survive jusqu'à l'hôpital, où mes parents m'ont amenée dans le tacot de Zacaria, qui était peut-être un peu moins déglingué qu'aujourd'hui.

Ç'a été ma première rencontre avec le docteur Apollinaire Njabolo, qui s'est aperçu ce jour-là que mon cœur n'était pas fait comme celui des autres enfants.

Il avait une maladie idiote.

5

– Tu as une malformation cardiaque, Sisanda.

Je soupire. Chaque année, Apollinaire se sent obligé de tout me réexpliquer de A jusqu'à Z. Il repousse ses lunettes et dessine un cœur sur une feuille de papier.

Un cœur normal, en bonne santé.

– Un cœur, c'est une pompe. Une pompe très perfectionnée qui injecte en permanence du bon sang bien rouge et plein d'oxygène dans le corps. Mais chez toi, Sisanda, la pompe cafouille. Il y a des fuites et elle n'arrive pas à bien faire son travail…

Il dessine alors un autre cœur à côté du premier. Un petit cœur tout détraqué. Le mien.

Maswala hoche la tête en silence. Avec sa blouse blanche et ses lunettes rondes, Apollinaire l'inquiète, comme s'il tenait ma vie entre ses mains.

– Allez, je vais t'examiner.

Et, tout en se lavant les mains, il n'arrête pas de me donner des conseils.

Il faut que je fasse bien attention. À ne pas courir, à ne pas faire d'efforts, à ne pas jouer avec les autres, à ne pas crier, à ne pas me fatiguer, ni m'inquiéter, ni m'essouffler… Et ne fais pas ci, et ne fais pas ça, et gnagnagna…

Arrête, Apollinaire ! Je t'en supplie ! Tais-toi un peu et cesse de me prendre pour une idiote !

Je sais très bien que je ne peux rien faire comme les autres. Au moindre effort, je suffoque, tout s'obscurcit, mes yeux se brouillent, je m'évanouis et, certains jours, j'ai tant de peine à respirer que mes lèvres deviennent toutes violettes. Alors tu vois, Apollinaire… Tout ce que tu peux me dire, je le sais déjà, et sûrement mieux que toi.

Le docteur Njabolo promène son stéthoscope sur ma poitrine, puis sur mon dos. Je le connais par cœur, Apollinaire, c'est le cas de le dire ! D'ici trente secondes, il va me proposer d'écouter à mon tour. Il me fait le coup chaque fois.

Ça ne rate pas ! Il ôte le stéthoscope de ses oreilles et me le tend avec un sourire tout maigre.

– Tiens, Sisanda. Écoute ton cœur… Tu entends, les petits pschhht, pschhht à chaque battement ? C'est ça qui ne va pas. Les pschhht. Un cœur en bonne santé ne fait pas pschhht.

Comme d'habitude, je n'entends rien. Et comme d'habitude, Apollinaire s'agace.

– C'est parce que tu ne fais pas attention. Écoute mieux !

Mais j'ai beau tendre l'oreille, rien à faire ! Pas le moindre pschhht.

Il hausse les épaules, me colle des ventouses sur la poitrine et met en marche une machine qui fait bip-bip.

– Un électrocardiographe, explique-t-il, l'air grave.

Les battements de mon cœur s'enregistrent sur un ruban de papier en une ribambelle de montagnes et de vallées minuscules qui correspondent à chaque pulsation. Je ferme les yeux pour bien me concentrer et je demande à mon cœur de s'appliquer. Ce n'est pas le moment de faire l'imbécile.

Et soudain, tout s'arrête ! Plus de bip-bip ! Plus de bruit, plus de cœur, plus rien ! Maswala pousse un cri tandis qu'Apollinaire se précipite en lâchant un juron.

Moi, je vais très bien, merci.

– Ce n'est rien, soupire mon petit docteur en s'épongeant le front. Une simple coupure d'électricité. Il y en a tous les jours en ce moment.

Le gros ventilateur du plafond a cessé de ronronner et, en quelques secondes, la chaleur devient insupportable.

– Mais j'en ai assez pour voir ce qui se passe, poursuit-il en examinant mon électrocardiogramme.

Il gribouille tout un tas de signes sur le ruban de papier, jette quelques mots sur une feuille…

– État stationnaire, lâche-t-il enfin.

Stationnaire, ça signifie que mon cœur ne va pas mieux – ce qui serait impossible –, mais qu'il ne va pas moins bien – ce qui pourrait tout à fait arriver !

– Un vrai miracle, murmure Apollinaire pendant que je me rhabille.

Maswala frissonne.

D'après lui, j'ai beaucoup de chance d'être encore en vie. Vraiment beaucoup. Il me jette un coup d'œil pour s'assurer que je ne l'entends pas. Je regarde ailleurs. Non, non ! Apollinaire, je n'écoute rien ! C'est promis.

– Ce qu'il faudrait, bien sûr, c'est l'opérer. Mais comment voulez-vous ?...

D'un air las, il montre sa machine en panne, les pales immobiles de son ventilateur, le plafond écaillé de son bureau et les murs pisseux de l'hôpital.

– Ici, je ne peux rien faire. Il faudrait l'emmener dans un hôpital spécialisé. À l'étranger. Mais ça coûte cher...

– Combien ? demande Maswala.

Les mêmes questions reviennent chaque année. Et comme chaque année, Apollinaire se tasse sur son siège, encore plus rabougri qu'à notre arrivée.

– Avec le voyage, il faut compter au moins…

Une rafale de vent ébranle le toit, on n'entend rien.

– Combien ? répète Maswala.

– Un million de kels, murmure Apollinaire, le visage dégoulinant de sueur. C'est un minimum.

Un million de kels ! Maswala secoue la tête, assommée par l'énormité de la somme.

– Mais nous ne sommes que de petits fermiers, docteur. Ce n'est pas avec huit chèvres et dix brebis qu'on trouvera une telle somme. Même avec ce qu'envoie mon mari, c'est à peine si on gagne 500 kels par semaine. Alors un million…

– Il faudrait trente-huit ans, trois mois et vingt jours.

Je n'ai pas pu m'en empêcher. Ça m'a échappé.

Apollinaire me regarde avec des yeux ronds. Je lui souris. C'est la bonne réponse. Je ne sais pas très bien comment j'ai fait, mais j'en suis sûre. Moi et les nombres, on est les meilleurs copains du monde. Je les adore ! Peut-être parce que je passe mon temps à compter les jours et les battements de mon cœur… Peut-être aussi parce qu'ils vont jusqu'à l'infini et que jamais ils ne s'arrêtent. On peut toujours passer au suivant, et au suivant. Et encore au suivant… Sans jamais arriver au dernier.

Apollinaire joue nerveusement avec son stylo. Une gouttelette de sueur pendouille au bout de son nez.

– Un million, soupire Maswala. Vous vous rendez compte ? Trente-huit ans…

Spoïng et plic ! Le ressort du stylo jaillit en l'air tandis que la goutte de sueur tombe du nez d'Apollinaire.

J'ai envie de rire, mais ce n'est pas le moment.

Des larmes plein les yeux, Maswala déplie son grand corps d'antilope. Apollinaire lui serre la main en clignant des yeux tellement elle est belle.

– Je sais ce que c'est, dit-il avec une mine de chien battu.

Est-ce qu'il parle de l'argent ? Ou de ma maladie ? Ou des deux ?… Personne ne sait très bien.

– Au revoir, Sisanda, fait-il en se tournant vers moi.

Je lui adresse mon plus beau sourire.

– À l'année prochaine, docteur Njabolo !

Il s'efforce de me rendre mon sourire, mais je vois bien qu'il n'y croit pas.

Peut-être s'imagine-t-il que mon petit cœur imbécile aura cessé de battre d'ici là.

C'est mal me connaître, Apollinaire ! Après tout, l'année prochaine, ça ne fera que trois mille sept cent quatre-vingt-trois jours que mon cœur bat. Et je suis certaine qu'il continuera encore longtemps. Beaucoup plus longtemps.

6

On ressort de l'hôpital. Les poussières tourbillonnent, des feuilles de papier voltigent et un journal atterrit sous les roues de la Land Rover de Zacaria. Un truc tout chiffonné que les patients de l'hôpital ont dû se repasser de main en main depuis je ne sais combien de temps. Machinalement, Maswala le ramasse et le fourre dans son sac.

Une drôle d'idée, d'autant que je suis la seule de la famille à savoir lire. Maswala déchiffre si lentement que les lettres finissent par faire une sorte de bouillie à laquelle elle ne comprend plus rien. Grand-mère Thabang et Pa'Jabari n'ont jamais mis les pieds à l'école, quant à onc'Benia, mieux vaut ne pas en parler !

Un homme, sa femme et leurs deux filles s'approchent de nous. Eux aussi sortent de l'hôpital.

– Vous allez vers Kitaung ?

Zacaria hoche la tête.

– Montez. Je vous déposerai à l'embranchement.

On se tasse un peu. Dans un pet de fumée noire, le 4 × 4 s'éloigne sous le regard myope d'Apollinaire et c'est reparti pour six heures de piste !

7

Il fait presque nuit lorsqu'on laisse l'homme et sa famille à l'embranchement de la piste de Kitaung. Leur village est encore à des heures de marche. Dans la lumière jaune des phares, tous les quatre s'accroupissent sous un vieil acacia tordu par le vent. Ils vont attendre là que le jour vienne.

– C'est plus sûr, fait l'homme.

Il montre l'obscurité déserte qui l'entoure. Sa voix tremble un peu. On dit que des esprits de la nuit s'amusent parfois à égarer les voyageurs...

– Mais peut-être qu'une autre voiture passera, ajoute-t-il.

– *Kismat*, lui crie Zacaria. Bonne chance !

Et il redémarre sans attendre parce qu'il n'aime

pas conduire la nuit. Il dit qu'il n'y voit pas bien, mais la vérité, c'est qu'il redoute aussi les mauvaises farces des esprits de la nuit. Alors, pour leur échapper, il roule aussi vite qu'il peut. On est ballottés comme des sacs mais la fatigue est la plus forte. Malgré les trous et les bosses, je finis par m'endormir, nichée au creux des bras de Maswala, tellement exténuée que le lendemain c'est à peine si je l'entends se lever pour aller courir.

Lorsque j'ouvre un œil, il fait grand jour et grand-mère Thabang fume sa pipe, accroupie devant le feu. Elle marmonne tout en touillant une marmite d'*ugali*. Je respire à fond, j'écoute mon cœur… Trois mille quatre cent dix-neuf jours qu'il bat. C'est bien, mon petit cœur imbécile. Continue comme ça !

Et je réalise soudain qu'il est très tard.

– Grand-mère ! Tu ne m'as pas réveillée !

– Tu dormais si bien, *bintizuri*. Ma jolie princesse…

– Mais l'école ! Je dois aller à l'école ! Tu le sais !

Grand-mère ricane. L'école ! Elle n'y a jamais

mis les pieds et ça ne lui manque pas. Mais pour moi, l'école, c'est le seul endroit au monde où je peux faire comme les autres. Travailler avec sa tête, ça ne fatigue pas le cœur. Hors de question de rater une seule journée, surtout avec la nouvelle maîtresse qui est arrivée le jour de la rentrée des classes. Mlle Habari ! *Habari*, chez nous, ça veut dire « Quoi de neuf ? ». Un nom qui lui va comme un gant ! Le premier jour, quand elle est entrée en classe avec une robe rouge comme on n'en voit qu'en ville, ses colliers qui cliquetaient et son joli rire, on a tout de suite compris que quelque chose de neuf déboulait dans nos vies. Il a suffi de quelques jours pour oublier l'ancien maître.

– Mais tu étais si fatiguée hier soir, j'ai pensé que…

– Vite, grand-mère, il faut y aller !

Plus d'une heure de retard ! Jamais ça ne m'est arrivé, sauf lorsque mon petit cœur fait tellement l'imbécile que je ne peux même pas me lever.

– Prends le temps de manger. Tu sais que ce n'est pas bon pour toi de…

L'estomac noué, j'avale à la va-vite quelques cuillerées d'ugali et un verre de thé brûlant. Mon cœur palpite comme un oiseau en cage. Apollinaire serait furieux de l'entendre !

– Vite !

– Benia ! braille grand-mère d'une voix suraiguë. Benia !

De loin, onc'Benia fait signe qu'il a entendu.

Il arrive au triple galop, se baisse en riant comme un gamin, je grimpe sur son dos et nous voilà tous les trois partis pour l'école. C'est le seul moyen pour que je n'arrive pas en classe hors d'haleine avec le cœur sur le point d'exploser.

Onc'Benia me dépose, comme si j'allais me briser entre ses mains. De l'autre côté de la porte, j'entends la voix de Mlle Habari. Le souffle court, j'entre dans la classe. J'aimerais disparaître sous terre.

L'année dernière, au moindre retard, le maître nous fixait sans un mot en tapotant de sa baguette la paume de sa main.

– Tu crois peut-être qu'on ne vient à l'école

que lorsqu'on en a envie ? lâchait-il au bout d'un interminable silence.

Toujours cette phrase-là. Mes jambes se mettaient alors à trembler et des nuages d'étincelles dansaient devant mes yeux. Je happais l'air comme un poisson sur l'herbe pendant que mon cœur cognait à coups redoublés.

Rien de ça avec Mlle Quoi-de-Neuf.

– Elle est allée à l'hôpital hier, grommelle grand-mère Thabang sur le pas de la porte tandis qu'onc'Benia n'arrête pas de rire en regardant les bracelets de Mlle Habari.

– Mais elle est en retard ce matin ! continue Mlle Habari avec un sourire, comme si tout cela était parfaitement logique.

Grand-mère lui lance son regard de sorcière. Dès le premier jour de classe, elle a décidé que cette nouvelle maîtresse était une moins que rien. Je ne sais pas pourquoi. Peut-être parce qu'elle est jolie comme un cœur et que grand-mère est plutôt moche et toute ridée. Peut-être aussi parce que Mlle Habari sait plein de choses que grand-mère Thabang ne connaît pas.

Je me glisse à ma place et je tente de calmer les chaos de mon petit cœur imbécile qui s'affole d'un rien. Zinhle me prend la main.

– Ça va ? souffle-t-elle.

Je lui fais signe que oui… Ça va passer.

Avec Masinde, le fils de nos voisins, Zinhle est la seule de la classe à savoir quoi faire si mon petit cœur décide un jour de jouer vraiment les imbéciles. La seule à savoir que j'ai toujours sur moi le médicament que m'a confié Apollinaire « en cas de crise ». Dix gouttes à glisser entre les lèvres… C'est simple. Même pour Masinde qui a du mal avec l'école en général, et avec les chiffres en particulier.

8

La plupart du temps, Maswala vient me chercher à l'école en revenant des champs. Elle me porte sur son dos, comme onc'Benia, et on papote ensemble tout au long du trajet. Je lui parle de ma journée et de tout ce qu'on a fait avec Mlle Quoi-de-Neuf. Mais aujourd'hui Maswala ne m'écoute pas. Elle a la tête ailleurs.

À peine est-on arrivées à la maison qu'elle me tend un journal tout chiffonné. Celui qu'elle a ramassé sous les roues du 4 × 4, dans la cour de l'hôpital.

– Sisanda… Tu pourrais me lire cet article ?

Elle sourit, gênée de ne pas y arriver seule, et me montre la page des sports.

Une photo en occupe presque la moitié. Une femme trempée de sueur qui lève les bras au moment de passer la ligne d'arrivée. À son visage tordu de fatigue, on devine qu'elle vient de courir longtemps et qu'elle y a usé toutes ses forces. Derrière elle, on aperçoit la foule qui l'encourage.

– L'article sur la course ?

Maswala hoche la tête. Je regarde la date… Octobre dernier.

– Mais c'est un vieux journal, tu sais…

– Ça ne fait rien. Lis-le quand même.

Pour la troisième fois de sa carrière, Magda Chepchumba a remporté dimanche dernier les 42,195 km du marathon de Kamjuni en 2 heures 41 minutes et 23 secondes. Menant la course de bout en bout devant plus de mille participants, la championne a devancé ses principales rivales, Rose Sombaya et l'Éthiopienne Hashim Dire, de plus de trois minutes. Comme chaque année, les trois premières places du célèbre marathon ont été généreusement dotées par les sponsors. Arrivée première, Magda Chepchumba est repartie avec une prime de 1,5 million de kels, tandis que la deuxième et la troisième empochaient respectivement 650 000 et 350 000 kels. Interrogée sur ses projets à la fin de la course, la marathonienne a affirmé que…

– Tu peux relire ?… demande Maswala, la voix un peu rauque.

– Mais je n'ai pas fini.

– Relis quand même

– *Interrogée sur ses projets…*

– Non. Avant.

– *Comme chaque année, les trois premières places du célèbre marathon ont été généreusement dotées par les sponsors. Arrivée première, Magda Chepchumba est repartie avec une prime de 1,5 million de kels, tandis que la deuxième et la troisième empochaient respectivement 650 000 et 350 000 kels.*

– Ce n'est pas possible, Sisanda. Tu dois te tromper.

Je lui colle le journal entre les mains.

– Regarde toi-même ! C'est écrit là !

Maswala se concentre un moment, les sourcils froncés par l'effort. Son doigt passe d'une lettre à l'autre, revient en arrière, reprend…

– Tu as raison, murmure-t-elle finalement.

Bien sûr que j'ai raison ! Qu'est-ce qu'elle s'imagine, Maswala ? Que je vais à l'école pour rien ?

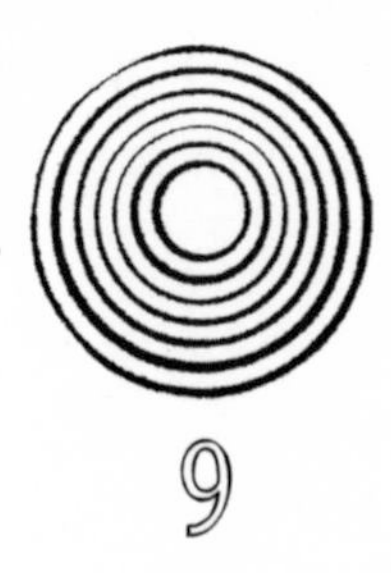

9

La nuit est tombée. Les chauves-souris qui pendent en plein jour comme de gros fruits aux plus hautes branches de l'acacia passent et repassent, les feuilles sont immobiles et les insectes font un tel vacarme que j'ai du mal à entendre le chuchotis de Maswala.

– Tu crois vraiment qu'on peut gagner autant d'argent rien qu'en courant ? demande-t-elle de sa voix un peu voilée.

Presque tous les soirs, Maswala parle seule dans le noir, comme si Pa'Jabari était là. Elle pose les questions et fait les réponses, elle dit que ça l'aide à réfléchir.

Je n'entends pas la suite à cause des insectes.

Et je m'endors, bercée par ses murmures, le grésillement des criquets et le glapissement des chacals qui chassent dans les collines.

10

– Sisanda…

Rien qu'à sa voix, je sais déjà ce que Maswala va me demander. Comme hier et comme les jours d'avant, comme chaque soir depuis qu'on est revenues de l'hôpital, elle veut que je lui lise l'article du journal. Comme si, soudain, il n'y avait rien de plus important au monde.

– Tu vas finir par le connaître par cœur !

Elle se force à rire.

– C'est parce que j'aime le son de ta voix.

Mais je sais que ce n'est pas vrai.

– Pour la troisième fois de sa carrière, Magda Chepchumba a remporté dimanche dernier les 42,195 km du marathon de Kamjuni en 2 heures 41 minutes et

23 secondes. Menant la course de bout en bout devant plus de mille participants...

Les insectes bourdonnent, attirés par la lumière de la lampe à pétrole, et les chauves-souris nous frôlent dans l'obscurité. Assise au pied de l'acacia, je continue à lire tandis que Maswala ferme les yeux, comme pour mieux imaginer la course de Magda Chepchumba.

11

Mlle Habari a une véritable passion pour la table de sept, la plus compliquée à apprendre, paraît-il. Alors, chaque jour, on la rabâche à n'en plus finir pendant qu'elle marque le rythme sur le bord de son bureau.

Une fois sept, sept. Deux fois sept, quatorze. Trois fois sept… Pouet, pouet !

Zinhle, Zipporah et les autres hochent la tête en cadence, Masinde s'y perd dès le début et moi, je n'y fais pas trop attention.

Les nombres, je les ai apprivoisés depuis longtemps. Ils savent exactement ce que j'attends d'eux. Ça se fait tout seul dans ma tête. Mais c'est mon secret. Je n'en parle à personne et je m'oblige à aller doucement parce que, l'année dernière, ça

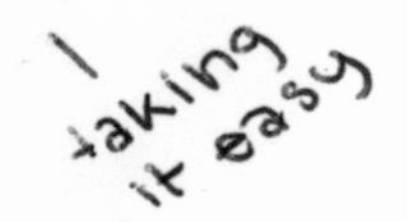

énervait beaucoup le maître que la plus maigrichonne de ses élèves qui arrivait à l'école sur le dos de son oncle simple d'esprit calcule plus vite que lui. Je l'ai compris dès la rentrée, lorsqu'à moi toute seule j'ai déclenché la première de ses colères en répondant à toute allure à une question qu'il avait à peine fini de poser. Il a crié si fort que j'ai failli mourir. Mon petit cœur ne supporte pas les colères.

Quatre fois sept, vingt-huit… Cinq fois sept, trente-cinq…

Je regarde par la fenêtre. Tout là-bas, une minuscule silhouette dévale le flanc de la colline.

Sept fois sept… Huit fois sept…

La silhouette grossit, grandit.

C'est Maswala ! Elle court à longues foulées, se faufile entre les herbes, bondit par-dessus les buissons d'épineux… L'année dernière, elle avait l'habitude de passer devant l'école en revenant de ses virées dans les collines, le maître l'accusait de distraire ses élèves et elle éclatait de rire en s'excusant.

Neuf fois sept…

– Sisanda ! Tu es avec nous ?

Je sursaute et mon petit cœur s'accélère aussitôt. Mlle Quoi-de-Neuf fronce les sourcils comme si je venais de commettre un crime impardonnable. Zinhle vient à mon secours.

– C'est à cause de sa mère, explique-t-elle, le doigt tendu vers la longue silhouette qui passe devant l'école, si légère qu'elle semble à peine effleurer le sol.

– C'est ta mère ? demande Mlle Habari.

Je hoche la tête.

– Elle court tous les jours. C'est pour ça qu'ici tout le monde l'appelle Swala… Ma grand-mère dit que maman est une femme-antilope.

– Une femme-antilope !

Mlle Habari n'a pas l'air de me croire. Peut-être parce qu'elle est toute nouvelle ici, ou peut-être parce qu'elle vient de la ville. Sans doute n'a-t-elle jamais entendu parler d'une femme-antilope. J'essaye de lui expliquer.

– Mais elle va quand même moins vite qu'une véritable antilope. Là, par exemple, elle court à peine à quinze kilomètres heure.

– Quinze kilomètres heure ! Mais… Comment sais-tu que…

Je me mords les lèvres. Je suis allée trop loin. Peut-être Mlle Quoi-de-Neuf sera-t-elle aussi furieuse que l'ancien maître si elle découvre que les nombres et moi sommes de vieux copains.

Pour l'instant, elle se contente de me regarder curieusement tandis qu'elle fait signe aux autres de sortir en récréation. Maswala est déjà loin et moi, je reste en classe. Jamais je ne vais en récréation. À cause de mon imbécile de petit cœur, bien sûr. Elle attend que le dernier sorte.

– Sisanda… Comment as-tu fait pour savoir à quelle vitesse courait ta mère, tout à l'heure ?

– Ben… Entre les deux arbres, là-bas, il y a à peu près soixante mètres. Alors j'ai compté le temps, et puis voilà.

Mlle Habari fronce les sourcils. Comment lui expliquer ce qui est si simple ?

– C'est à cause de mon cœur, vous comprenez ?… Je compte toujours ses battements, et le nombre de jours que j'ai vécus, et tout ça…

Alors à force, c'est un peu comme si j'avais un chronomètre dans la tête.

Ma voix tremblote, j'ai peur qu'elle ne se fâche.

– Mais c'est un calcul compliqué…

Je secoue la tête.

– Pas très, non… J'ai l'habitude. On est comme ça, dans notre famille. Maman, ce sont ses jambes qui veulent courir, moi c'est ma tête qui veut calculer. Les chiffres se mettent tout seuls là où il faut, et voilà !

– Et voilà ! répète Mlle Quoi-de-Neuf en éclatant de rire. Tu sais que tu es une drôle de fille. Comment se fait-il que ton maître de l'année dernière ne m'ait jamais parlé de tes talents de supercalculatrice ?

– Ça l'agaçait que je compte plus vite que lui !

Et de nouveau Mlle Quoi-de-Neuf éclate de rire.

12

La journée a été étouffante et comme chaque soir, j'ai du mal à respirer. Encore un coup de mon imbécile de petit cœur. Apollinaire dit que dans mon cas c'est normal.

Normal ! À force de voir des gens mal fichus, il doit s'imaginer que c'est naturel d'être malade. Ce qui serait « normal », ce serait de courir et de galoper et de jouer dehors comme les autres. Pas de rester allongée comme une bête exténuée sans pouvoir rien faire.

La bouche entrouverte et les lèvres un peu violettes, je happe l'air, je fonctionne au ralenti, à petits gestes rabougris. Tout juste bonne à regarder grand-mère Thabang aplatir une à une les galettes de *niébé* qu'elle fait ensuite frire dans l'huile.

– *Mosmos*, ma petite princesse, conseille-t-elle entre chaque galette. Doucement…

Elle veut dire « respire doucement ». Parfois j'ai l'impression d'être plus vieille qu'elle.

Je te déteste, mon petit cœur imbécile !

Dehors, Maswala et onc'Benia finissent de traire les chèvres. Le lait gicle, ils y ajoutent quelques gouttes de sève de figuier et recouvrent le seau d'un linge. Le lait va cailler pendant la nuit et, demain, grand-mère Thabang ira vendre notre fromage au marché.

La dernière chèvre à peine relâchée, Maswala s'assoit au pied de l'acacia et ouvre le journal. Toujours à la même page. La lampe à pétrole tremblote à côté d'elle. Du bout du doigt, elle suit les lignes. Je m'approche à petits pas, le souffle rauque.

– Pour la troisième fois de sa carrière, murmure-t-elle, Magda Chepchumba a remporté dimanche dernier les 42,195 km du marathon de Kamjuni en 2 heures 41 minutes et 23 secondes…

Je me penche par-dessus son épaule, le doigt de Maswala n'est pas à la bonne ligne ! Elle connaît l'article par cœur et fait semblant de lire ! Elle sursaute en m'apercevant.

– Sisanda ! Mais tu devrais être couchée ! Tu sais que tu ne dois pas bouger lorsque…

– Qu'est-ce que tu fais ?

– Eh bien, tu vois. Je… Euh… Je m'exerce à lire.

Les adultes ne savent pas très bien mentir.

– C'est parce que cette Magda je-ne-sais-qui court comme toi que tu aimes cette histoire ?

Elle hoche la tête.

– Sauf qu'elle, elle est riche. Toi, tu ne gagnes rien quand tu cours.

Des essaims de lucioles papillonnent devant mes yeux, la tête me tourne, je dois m'appuyer contre Maswala. Je me lève, je parle, je bouge… Je fais tout ce qui est interdit lorsque mon petit cœur imbécile me joue des tours. Apollinaire serait furieux !

– Tu ferais quoi, toi, si tu gagnais autant d'argent ?

Maswala hoche la tête, un peu troublée, les yeux brillants.

– Ce que je ferais ?... Je ne sais pas. Il faut que j'y réfléchisse. Allez ! Hop ! Maintenant, tu dois te reposer.

Et elle me soulève comme une plume. Je me colle contre elle, l'oreille sur sa poitrine, j'entends tous les bruits de son corps, son cœur, sa respiration... Comme une grande machine en marche.

13

Il fait nuit, rien ne bouge, mais quelque chose vient pourtant de me réveiller. J'entrouvre les yeux, j'écoute. Mon cœur d'abord… Il s'est calmé. Puis les insectes, une brebis qui bêle et, très loin, l'aboiement d'un chacal… Comme souvent, Maswala parle seule à voix basse. Voilà ce qui m'a réveillée.

– Sisanda se doute de quelque chose, murmure-t-elle. Si elle a posé toutes ces questions ce soir, c'est qu'elle a tout deviné.

Moi ?! Je me doute de quelque chose ?! Première nouvelle ! Et j'aurais deviné quoi ?… De quoi parle-t-elle ?…

– Il faudrait que je lui dise, reprend-elle, mais ce ne sont jamais les gens comme moi qui gagnent, je le sais bien. Les paysans ne sont pas faits pour ça.

Le silence grésille d'insectes et le chacal s'est tu, remplacé par les ronflements de grand-mère Thabang.

La voix de Maswala se voile plus encore qu'à l'ordinaire.

– Mais je dois quand même essayer. Sisanda est en âge de comprendre. Je lui parlerai demain.

Les battements de mon cœur s'accélèrent.

Je viens de deviner…

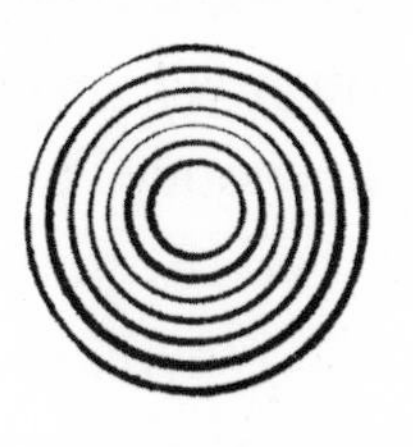

14

Dans la pénombre, Maswala écoute ma respiration.

– Ne bouge pas, murmure-t-elle. Fais semblant de dormir, comme d'habitude, sinon je n'arriverai jamais à te parler.

J'ai bien envie de lui répondre que d'habitude je dors pour de vrai, mais le ton de sa voix est si grave que je joue le jeu, les yeux soigneusement fermés.

– Hier, tu m'as demandé ce que je ferais si je gagnais autant d'argent que la femme qui est arrivée en tête du marathon de Kamjuni, l'année dernière. Eh bien voilà…

Elle prend une longue inspiration.

– Je commencerais par demander au docteur Njabolo le nom du meilleur chirurgien dans le meilleur hôpital du monde. Ensuite, toi et moi, nous irions là-bas, et ce chirurgien t'opérerait pour que tu puisses vivre comme les autres. Voilà ce que je ferais, si j'avais tout cet argent…

C'est trop d'un coup pour mon petit cœur qui se débat dans tous les sens. Calme-toi, imbécile ! C'est de toi que l'on parle ! J'ouvre les yeux. Le visage de Maswala est tout proche du mien.

– Tu vas courir le prochain marathon de Kamjuni ?

– Oui, souffle-t-elle, mais ça ne veut pas dire que je vais le gagner… Les vainqueurs sont toujours de vrais athlètes. Des gens dont c'est le métier, pas des gens comme moi.

– Mais tu es la seule à t'appeler Swala, l'antilope. Et personne ne court plus vite qu'une antilope.

Elle m'effleure la joue et se redresse.

– Tutaonana, Sisanda.

Elle se glisse au-dehors et disparaît dans le demi-jour qui grisaille.

Toudoum… Toudoum… Toudoum…

Trois mille quatre cent vingt-huit jours que mon cœur bat. Apollinaire m'a montré comment prendre mon pouls, en posant deux doigts en travers du poignet.

« Cent, Sisanda, cent dix maximum, jamais plus. »

Cent battements par minute, six mille par heure, cent quarante-quatre mille par jour, plus d'un million par semaine, presque cinquante-trois millions de fois par an… Jamais plus. Facile à dire. Je voudrais t'y voir, Apollinaire.

Mon imbécile de petit cœur bat bien trop vite. Il faut que je lui parle, que je lui explique tout ce que Maswala veut faire pour lui.

Mais le problème avec toi, mon cœur, c'est que tu n'en fais qu'à ta tête.

15

Chez Kathelo, on trouve tout. Des épices, puisqu'il est épicier, mais aussi des bidons de pétrole, de la ficelle, des couteaux, des piles, des caisses de sodas, du tissu, des clous, du sel, des sacs, des bassines en plastique… Et même un téléphone qui marche de temps à autre. C'est chez lui que Pa'Jabari appelle chaque mois pour dire que tout va bien, qu'il ne faut pas s'inquiéter et qu'il rentrera bientôt.

– Je peux téléphoner ? demande Maswala à voix basse.

Kathelo affiche son sourire le plus commercial.

– Sûr que tu peux. C'est pour appeler ton mari ?

Maswala secoue la tête.

– Non. Pour autre chose.

Kathelo vérifie le bon fonctionnement de la ligne et fait semblant de s'affairer sans plus s'occuper de nous, mais la vérité, c'est qu'il est curieux comme un singe. Il n'adore rien tant que connaître les histoires des uns et des autres.

Son arrière-boutique est si sombre que j'ai du mal à déchiffrer le bout de papier que me tend Maswala. Des chiffres recopiés d'une main mal assurée. Le numéro de téléphone des organisateurs du marathon.

Ça sonne plusieurs fois avant qu'une voix nasillarde se décide à répondre. Maswala bafouille et parle si fort qu'on doit l'entendre jusqu'au bout du monde. Elle cache soudain le micro avec sa main.

– Vite, Sisanda, un papier, un crayon…

Kathelo écoute maintenant sans se priver, il me tend un carnet crasseux et un vieux Bic mordillé.

– Quand cela ? piaille Maswala. Écris, Sisanda. Vite ! Vite ! Le 28 octobre…

Son ton change brutalement, comme si elle venait d'apprendre une mauvaise nouvelle.

– Mais je ne savais pas… Ce n'était pas dans le journal. Vous êtes certaine ?… Alors je dois… Écris, Sisanda, écris ! Vite ! Organisation du Marathon de Kamjuni… Boîte 82988. Route d'Othaya. Kamjuni.

Maswala raccroche et s'essuie le front, plus épuisée par ce simple coup de téléphone qu'après des heures de course. Elle me regarde, l'air un peu perdu.

– Je dois payer, Sisanda. Payer pour m'inscrire… Cinq mille kels…

– Sûr que c'est une belle somme, fait Kathelo, à qui personne n'a rien demandé. Sans oublier que tu m'en dois six pour le téléphone.

– Je reviendrai ce soir, fait-elle en lui tendant une poignée de pièces. Je dois appeler Jabari. En attendant, je compte sur toi pour ne répéter à personne ce que tu as entendu.

– De quoi parles-tu ? sourit l'épicier. Tu me connais, Swala. C'est bien simple, je deviens sourd et muet dès qu'un client téléphone.

Dehors, la lumière est éblouissante. Je happe l'air, la bouche grande ouverte, oppressée par la chaleur. J'aurais dû naître au pôle Nord…

Maswala me porte sur ses épaules.

– Cinq mille kels ! murmure-t-elle. Qui peut se permettre de payer aussi cher pour courir ?

Je l'écoute à peine.

Le 28 octobre… Le marathon aura lieu le 28 octobre. Les chiffres se mettent en place dans ma tête. Dans trente-six jours exactement, juste avant la petite saison des pluies. Ce jour-là, mon cœur battra depuis trois mille quatre cent soixante-quatre jours.

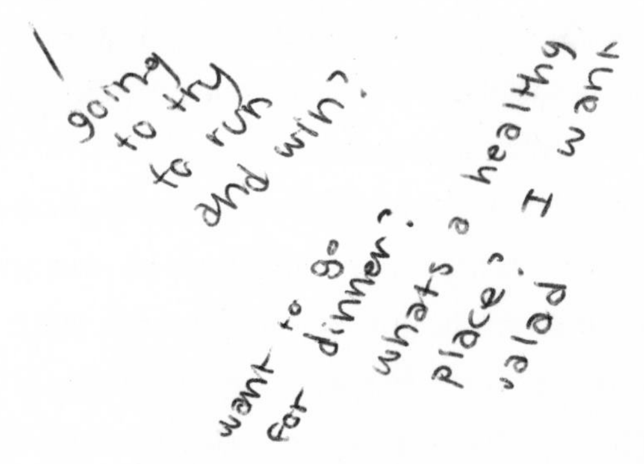

16

Mzungu, la plus grasse de nos brebis, est allongée dans la poussière à côté de la Land Rover de Zacaria. Les pattes ligotées, elle roule de gros yeux effarés. D'un coup d'épaule, onc'Benia la soulève, il la dépose sur le plateau du 4 × 4 et la caresse en chantonnant tandis qu'elle bêle à en perdre le souffle.

Hier soir, Maswala a téléphoné à Pa'Jabari. Elle lui a tout expliqué en quelques mots. Le journal, le marathon, les cinq mille kels… Il faut toujours faire vite au téléphone, elle l'entendait très mal et ça coûte cher de transporter les voix si loin. Pa'Jabari est d'accord, on va vendre Mzungu au marché de Kutano.

Sinon, il va bien, il ne faut pas s'inquiéter, il rentrera bientôt.

Pendant que Zacaria allume une cigarette, je caresse à mon tour l'épaisse toison de Mzungu. Je n'ai pas très envie de me séparer d'elle.

– Elle sera bientôt trop vieille, fait Maswala en évitant mon regard. C'est le moment de la vendre avant qu'elle ne vaille plus rien.

Encore un mensonge ! Mzungu n'est pas trop vieille et c'est la plus grasse de nos bêtes.

Je lui parle. À mi-voix, je lui raconte que le jour de sa naissance, sa laine était si belle et si mousseuse qu'on l'a appelée Mzungu, la blanche. Je lui dis aussi qu'elle avait un frère jumeau, un agneau avec le bout des pattes noir qui a disparu après quelques jours, emporté par les chacals. Elle me regarde de ses yeux idiots. Mais peut-être qu'elle me comprend, après tout.

Zacaria écrase sa cigarette et donne une claque dans le dos d'onc'Benia.

– Allez, Zuzu, on y va !

Mon oncle éclate de rire et grimpe sur le plateau, à côté de Mzungu. C'est toujours comme ça avec lui, pour rien au monde il ne s'installerait dans la cabine, à côté de Zac. Il ne supporte pas d'être enfermé.

Le 4 x 4 s'éloigne en pétaradant tandis que Mzungu bêle de détresse, comme si elle se doutait de ce qui l'attend.

Maswala me tient la main. Elle a toute confiance en Zacaria, il en tirera un bon prix. Je ne lui demande pas s'il va la vendre à un berger ou à un boucher. Je connais la réponse. Aucun berger n'a assez d'argent pour acheter une bête comme celle-là.

I wonder whos going to buy but then says no shepard has enough money.

17

Zacaria et onc'Benia ne reviennent qu'à la nuit tombée.

Zac chuchote quelques mots à l'oreille de Maswala, qui hoche la tête.

– C'est un bon prix. Je crois qu'on pouvait pas faire plus… Et tu as réussi à envoyer l'argent comme je t'ai demandé ? demande-t-elle plus bas.

– On a tout fait comme tu le voulais, Swala. Sauf que… euh…

– Sauf que quoi ?

Zacaria hésite et regarde onc'Benia, qui chantonne doucement, un grand sac à la main et un gigantesque sourire aux lèvres.

– Tu as l'air content de toi, Benia, remarque Maswala…

Onc'Benia la regarde, l'air tout à fait mystérieux, et sort de son sac une boîte en carton qu'il dépose aux pieds de sa sœur.

– Mmmm… chantonne-t-il.

– Il a absolument tenu à te rapporter un cadeau, traduit Zac, qui a l'air de plus en plus embarrassé. Impossible de l'en empêcher.

Un cadeau ! Maswala ouvre de grands yeux. J'ai envie d'éclater de rire. Chez nous, ça n'arrive jamais. Il n'y a que les riches pour s'offrir des cadeaux. Je n'y tiens plus.

– Vas-y, ouvre !

Maswala regarde onc'Benia, me regarde… et finit par ouvrir le paquet comme s'il contenait une portée de serpents.

– Des chaussures !… Tu m'offres des chaussures !

Onc'Benia éclate d'un tel rire qu'on s'y met tous.

– Mais qu'est-ce que je vais en faire, Benia ? Je cours toujours pieds nus ! Depuis que je suis toute petite je n'ai jamais mis de chaussures.

– C'est ce que je me suis tué à lui dire, grommelle Zac, mais il ne voulait rien savoir, cet abruti. Toutes les fois que je lui disais qu'il était temps de partir, il me ramenait devant ces fichues chaussures !

Onc'Benia va alors chercher le journal, il l'ouvre à la page du marathon et pose son gros doigt sur la photo. Personne n'y avait jamais fait attention, mais Magda Chepchumba porte des chaussures. Des jaunes avec des raies rouges. Exactement celles qu'il vient d'offrir à Maswala. Il se passe plein de choses dans la tête d'onc'Benia.

– Il a dû payer ça une fortune, fait Maswala à mi-voix.

Zac hausse les épaules.

– Tu connais ton frère. Tu sais comment il est quand il a une idée en tête. Même en s'y mettant à dix, personne n'aurait pu l'en empêcher. Il aurait tout cassé pour cette fichue paire de chaussures.

Maswala rit encore, un peu gênée. Ses grands pieds sont habitués à courir sur la terre des collines et l'idée de rentrer dans des chaussures ne leur convient pas du tout. Elle tire, pousse, se contorsionne, ses orteils se tortillent… Ça y est ! Onc'Benia et moi éclatons de rire tandis que le visage de grand-mère Thabang se plisse de rides. C'est drôle de voir Maswala avec des chaussures ! Elle se lève et fait quelques pas, comme si elle marchait sur des œufs.

– Jamais je n'arriverai à courir avec ces trucs-là aux pieds…

Le lendemain, au moment où je grimpe sur le dos d'onc'Benia pour aller à l'école, les chaussures neuves de Maswala sont là, bien rangées dans leur carton. Elle est partie courir pieds nus dans les collines.

Mon cœur bat depuis trois mille quatre cent trente-cinq jours et il ne reste que vingt-neuf jours avant le marathon.

18

Sept fois un, sept… Sept fois deux, quatorze… Vingt et un… Vingt-huit…

Mlle Habari ne se lasse jamais de la table de sept, mais elle fait semblant de ne rien remarquer lorsque, chaque jour, j'arrête tout pour guetter Maswala par la fenêtre de l'école.

Elle court plus que jamais… Chaque jour, elle s'entraîne en suivant le même itinéraire, et je suis capable de prévoir presque exactement le moment où elle va surgir du sommet de la colline. Toujours à la même heure, juste avant que la chaleur ne devienne trop forte. Je ne me trompe jamais. Sa longue silhouette se glisse entre les acacias, elle vient droit sur l'école, oblique au dernier moment et file à travers les champs de manioc. Dès que je l'aperçois, je déclenche mon petit chronomètre intérieur. Maswala court vite. Très vite, même. Jamais elle n'a couru aussi vite.

Elle va gagner, c'est sûr.

Mlle Quoi-de-Neuf aussi a repéré que Maswala apparaissait chaque jour à la même heure. Je la vois qui jette des coups d'œil furtifs par la fenêtre. Ma mère-antilope l'intrigue. Parfois, nos regards se croisent et mon cœur s'accélère, je ne sais pas trop pourquoi.

Et, quand je regarde de nouveau dehors, Maswala est déjà loin.

19

Trois mille quatre cent quarante et un jours que mon imbécile de petit cœur bat mais ce matin, impossible d'aller à l'école. Il gesticule comme une bête enragée, alors même que je ne fais pas le moindre geste.

C'est à cause du vent. Il s'est de nouveau levé pendant la nuit et mugit en soulevant des nuées de poussière qui semblent fondre tout exprès sur le village pour m'empêcher de respirer. Immobile comme un arbre mort, je happe l'air à toutes petites goulées tandis que les tôles du toit vibrent sous les rafales. Je n'ai pas mal. Juste un peu peur de mourir. Les paupières mi-closes, je regarde l'article du journal que j'ai épinglé devant moi. Je ne le quitte pas des yeux pendant que Maswala court dans les collines en se moquant du vent et de la poussière. Je l'encourage en silence, comme si elle pouvait m'entendre.

Si je pense très fort à elle, elle gagnera, c'est sûr. Il faudra qu'elle prenne un drôlement gros sac pour rapporter tout cet argent chez nous. Je ne sais pas si elle y a pensé.

– Hoho ! Il y a quelqu'un ici ?...

Mon petit cœur s'épouvante. Autour de moi, tout vacille, comme si le monde s'apprêtait à basculer. Je me raccroche à la réalité.

– Hoho ! reprend la voix. Il y a quelqu'un ?...

Onc'Benia garde ses brebis, grand-mère Thabang est au marché et Maswala court. Je suis toute seule ! Je me traîne jusqu'à la porte.

L'homme qui vient de crier se tient de l'autre côté de l'enclos à moutons, à bonne distance de Kimbaj, qui gronde sourdement, le poil hérissé. Il a un bel uniforme et une lettre à la main. Le facteur...

Il m'aperçoit.

– Eh, petite ! Dis à ton chien de me laisser passer.

Comment lui faire comprendre que je ne peux ni crier ni lui répondre, que je peux à peine me lever ? Appuyée contre le montant de la porte, je ne bouge pas. Il me regarde curieusement…

– Eh bien… On dirait que ça ne va pas fort…

C'est alors que Maswala surgit, hors d'haleine, couverte de sueur et de poussière. D'un mot, elle ordonne à Kimbaj de filer.

– Merci, fait le facteur. C'est un vrai fauve que tu as là ! Je n'osais pas avancer. On ne sait jamais… Tiens, j'ai une lettre pour toi.

Maswala la prend du bout des doigts, comme s'il s'agissait d'un serpent venimeux.

– Je ne crois pas t'avoir déjà porté de courrier, continue le facteur avec un sourire charmeur. Je vois beaucoup de monde et parfois je confonds les gens, mais on se souvient d'une femme comme toi…

Il ne quitte pas Maswala des yeux mais elle ne lui répond pas. Elle le regarde à peine. Seule l'enveloppe l'intéresse. Une enveloppe qui porte le tampon du marathon de Kamjuni.

20

Une lettre ! Swala a reçu une lettre !

C'est un événement assez rare pour que tout le voisinage accoure. D'autant que Kathelo, l'épicier, a beau jurer que pas un mot de ce qui se dit au téléphone ne sort de son magasin, il n'a pas fallu longtemps pour que tout le village apprenne que Maswala allait débourser cinq mille kels pour courir.

Cinq mille kels ! Vous imaginez un peu !

Et tout le monde sait aussi qu'elle a vendu la plus belle de ses bêtes au marché pour payer cette folie ! Certains murmurent qu'à force de galoper dans les collines, elle a pris un coup de soleil sur la tête. Il paraît qu'elle a même acheté des chaussures spéciales pour courir ! Comme s'il y avait besoin de chaussures pour ça !

Maswala tripote l'enveloppe sans oser l'ouvrir devant les voisins qui brûlent d'impatience.

– Alors, braille le vieux Blamedi, qui a déjà bu trop de bière. Il y a quoi dans cette lettre ? Qui écrit à la belle Swala ?

Les autres éclatent de rire. Maswala me prend par l'épaule et on rentre pour être au calme. Elle déchire l'enveloppe tandis que je m'allonge, harassée de m'être simplement levée.

– Tu peux me la lire, Sisanda ?

Le souffle court, je parcours la feuille. Maswala est inscrite au prochain marathon de Kamjuni sous le dossard 953. Elle devra se présenter au lieu de rassemblement le 28 octobre, dès 6 heures du matin.

Mon petit cœur tambourine. Je ferme les yeux, je tente de le calmer, de lui parler, de respirer bien profondément comme Apollinaire me l'a conseillé…

Les yeux fermés, j'essaye d'oublier ses imbécillités. 953... Je ne sais pas très bien pourquoi, mais c'est un bon chiffre.

Maswala m'embrasse sans un mot. Son grand corps sent la sueur et la poussière, elle est encore toute moite d'avoir couru.

– Alors, Swala, beugle Blamedi, il y a quoi dans cette lettre ? On veut savoir !

– Oui, glapit la mère de Zinhle. On est tes voisins après tout, on a le droit de savoir ce que tu...

Une rafale emporte le reste.

Ils sont des dizaines à se presser devant notre keja, certains passent la tête, quelques-uns entrent carrément... Maswala met sa robe de travail et, le sourire aux lèvres, leur montre le journal avec la photo de Magda Chepchumba. Presque personne ne sait lire, mais l'article passe de main en main tandis que Maswala parle du marathon. Elle explique qu'elle aussi va bientôt y participer...

– Si je comprends bien, rigole le père de Masinde, tu as payé pour gagner de l'argent !

Ça déclenche un éclat de rire général et Maswala rit avec les autres.

– Tout dépend combien tu vas gagner, remarque le vieux Blamedi.

– Attends un peu ! Avant de gagner de l'argent, il faut d'abord que je gagne la course.

– Mais si tu la gagnes ? insiste-t-il.

Maswala hésite.

– Je vous le dirai à ce moment-là…

– Non, non ! tonne la grosse Raïla. C'est maintenant qu'on veut savoir ! Laisse-moi deviner… Tu as payé cinq mille kels, tu vas donc gagner au moins…

– Mais je dois d'abord arriver première, insiste Maswala.

– Sept mille kels ?…

Maswala secoue la tête.

– Plus que ça ?… Dix mille ?…

– Vingt mille, lance Zacaria. Trente mille ?… Plus ?

– Cinquante mille ? lance Saïshaï.

C'est beaucoup, mais Maswala secoue toujours la tête.

– Cent mille ?…

Les rires s'arrêtent quand Maswala secoue de nouveau la tête.

– Tu nous fais marcher, dit Raïla. Allez ! Dis-nous pour de vrai.

Maswala me jette un coup d'œil, prend une grande inspiration.

– Un million et demi si j'arrive la première, souffle-t-elle.

Le silence qui suit n'est traversé que par la touffeur de l'air.

Raïla pousse soudain un hennissement de rire tandis que les autres regardent Maswala comme si elle était tombée sur la tête. Un million et demi de kels ! À vrai dire, personne n'a la moindre idée de ce que ça signifie. Ça n'existe pas, une somme comme ça. C'est comme si on disait mille milliards de millions ou un truc dans ce genre-là. Personne ne peut gagner une telle somme, même en travaillant du premier au dernier jour de sa vie. Même en deux ou trois vies ! C'est plus que ce que gagne le président des Américains ou je ne sais qui.

– Et qu'est-ce que tu vas faire de tout ce tas de fric ? braille Blamedi, sa bouteille de bière à bout de bras. Tu peux me le dire ?

– Oui, je peux !

Chacun reste suspendu à ses lèvres. Blamedi en profite pour boire une lampée. Maswala ne me quitte pas des yeux, sa voix tremblote.

– Je payerai l'opération du cœur de Sisanda dans le meilleur hôpital du monde.

21

Ni le vent ni la poussière ne parviennent à chasser les voisins. Massés devant chez nous, ils pressent Maswala de questions. Ils veulent en savoir toujours plus, et Maswala explique encore et encore, et ne cesse de répéter que s'inscrire à une course, ce n'est pas la gagner.

– Mais tu gagneras, lance la grosse Raïla. C'est sûr ! Personne ne peut courir plus vite qu'une antilope !

Et tout le monde a l'air d'accord là dessus.

Des volées de sable criblent les tôles du toit tandis qu'allongée sur ma paillasse j'écoute le vacarme du dehors et les palpitations de mon petit cœur imbécile.

Grand-mère Thabang est revenue du marché. Assise dans le recoin le plus sombre de la keja, elle roule des galettes de niébé, et en me murmurant des *mosmos bintizuri* à n'en pas finir. Doucement, ma petite princesse… Toute cette agitation ne la concerne pas.

Sa voix cassée par le tabac agit comme un calmant. Les battements de mon cœur s'apaisent… Bien, mon petit cœur… Encore un effort… Je compte les pulsations, les chiffres défilent dans ma tête… Et, soudain, je sais pourquoi le 953 du dossard de Maswala me plaît tant.

Voilà trois mille quatre cent quarante et un jours que mon imbécile de petit cœur bat. C'est-à-dire neuf ans, cinq mois et trois jours.

Neuf. Cinq. Trois.

Maswala gagnera, c'est sûr.

22

– Tutaonana Sisanda.

Plus que vingt jours avant le marathon de Kamjuni et, comme chaque matin, Maswala disparaît en longues foulées vers les collines.

Comme chaque matin, onc'Benia me porte jusqu'à l'école. Et, comme chaque matin, on rabâche les tables de multiplication avant d'enchaîner sur un problème, tellement facile que je me mords les lèvres pour ne pas rire.

Je lève le nez. Maswala ne devrait pas tarder à franchir la crête de la colline, juste au-dessus des champs de manioc.

On passe du problème au cours de chant. Je regarde par la fenêtre pendant que Mlle Quoi-de-Neuf note au tableau les paroles d'une nouvelle chanson.

Mwalimo wetu

hapendi kelelee…

Elle en écrit des lignes et des lignes que l'on recopie avant de les chanter. La craie crisse, Zinhle s'applique, la langue un peu tirée, et Masinde fait de grosses ratures à chaque ligne. Moi, je n'écris plus. Maswala est en retard. Elle aurait déjà dû se faufiler entre les acacias.

Akivaa tenga mawingu ya mvua.

Point final.

Deux, trois… compte Mlle Habari. Et la classe entière se met à chanter.

Le soleil est déjà haut, et l'ombre des acacias minuscule ; les tôles de l'école craquent sous la chaleur et Maswala n'est toujours pas passée. Il fera bientôt trop chaud pour courir, elle le sait mieux que personne. Mon petit chronomètre intérieur s'affole. Jamais encore elle n'a pris un tel retard. Les autres reprennent le couplet en chœur.

Anapenda nyimbona vigelegele…

Je ne fais plus attention à rien, et, comme chaque fois que je m'inquiète, mon imbécile de petit cœur s'affole.

Peut-être a-t-elle pris un chemin différent... Non. Maswala suit toujours la même boucle, toujours dans le même sens. Elle y a ses repères. Ils lui permettent de savoir à quel rythme elle court.

Ou peut-être a-t-elle décidé de courir plus longtemps que d'habitude... Non ! Pas en pleine chaleur ! Jamais elle ne ferait ça ! Alors quoi ?...

Je scrute les collines à la recherche de sa longue silhouette noire. Mais il n'y a rien. Que la terre, les pierres, les épineux et des tourbillons de poussière rouge. Le rythme de mon cœur s'accélère, mes oreilles bourdonnent

– Sisanda !

Toute proche, la voix de Mlle Quoi-de-Neuf me fait sursauter. Je la regarde, les yeux noyés de larmes tandis que les autres sortent en criant.

– Qu'est-ce qui ne va pas ?

Le souffle court, je lui explique. Maswala est en retard. Trop en retard... Elle comprend tout de suite.

– Tu ne l'as pas vue ?… Tu en es sûre ?

Elle me prend la main.

– Peut-être a-t-elle pris un autre chemin…

Je sais bien que non.

Sa voix s'éloigne de plus en plus, son visage s'efface… Je n'arrive plus à respirer. Je n'entends plus que le vacarme de mon cœur. Comme s'il allait s'arracher de ma poitrine.

Attends, mon petit cœur, attends ! Ne fais pas l'imbécile !

elle pense à la pire chose

23

Je suis morte ?… Peut-être…

Toudoum… Toudoum… Toudoum…

J'entends pourtant les battements de mon cœur. Le cœur des morts ne bat pas… Enfin, je ne crois pas. Ou alors si doucement qu'à part eux personne ne l'entend.

Peut-être que je suis un peu vivante.

Dans ma bouche, c'est tout amer. Le goût du médicament d'Apollinaire. J'essaye de me rappeler ce qui est arrivé. J'écoute encore… La voix rocailleuse de grand-mère Thabang est toute proche. Si je l'entends, c'est que je suis vivante, non ?… Je n'en suis pas très sûre.

J'entrouvre les yeux. La nuit, la lune et la voix

de grand-mère qui marmonne. Rien d'autre. Même les chacals se taisent, comme s'ils l'écoutaient, eux aussi. Comprends rien de ce qu'elle raconte. Des ribambelles de mots sans queue ni tête, de ces mots que seuls les *wachawi* – ceux qui sont un peu sorciers –connaissent.

Mon petit chronomètre intérieur se met en marche. Je compte chaque pulsation.

Toudoum… pssh. Toudoum… pssh. Toudoum… pssh.

Quelque chose a changé dans ma poitrine. J'ai l'impression d'entendre le fameux petit pschhht dont Apollinaire me rebat chaque année les oreilles. « Un cœur en bonne santé ne fait pas pschhht, Sisanda. » Mais moi, je fais pssh, pas pschhht. C'est grave ? Peut-être que, finalement, je suis morte. J'essaye de parler.

– Grand-mère…

Elle ne m'entend pas. Ses murmures continuent. Elle se balance d'avant en arrière, la petite braise rouge de sa pipe va et vient dans l'obscurité. Que fait-elle ? Que se passe-t-il ?

Et soudain, je me souviens. Le soleil… La

chaleur… Et Maswala qui ne venait pas… Mlle Habari s'est approchée et le monde s'est éteint.

– Grand-mère…

– Repose-toi, ma petite princesse…

Ses grosses mains touchent mon front. Je dois être vivante.

Elle glisse quelque chose entre mes lèvres. Le goût douceâtre des herbes qu'elle cueille dans les collines m'emplit la bouche tandis que sa voix me berce. J'ai soudain l'impression de flotter, de planer au-dessus du monde, les ailes grandes ouvertes. Au-dessous de moi, tout en bas, Maswala court sous le soleil. Ses longues jambes bondissent par-dessus les pierres… Elle ne m'a pas vue, elle ne sait pas que je suis là, que je la protège.

Mes paupières se ferment, impossible de lutter contre le grand sommeil qui m'écrase…

24

Lorsque je rouvre les yeux, la lumière du jour se glisse entre les planches et la voix éraillée de grand-mère Thabang murmure toujours dans la pénombre.

Que se passe-t-il ? Pourquoi Maswala n'est-elle pas venue me voir avant d'aller courir ? Pourquoi grand-mère marmonne-t-elle ces mots bizarres ? Quelqu'un gémit comme un chiot. C'est onc'Benia. Je l'aperçois près de la porte, ramassé sur lui-même comme un animal apeuré. Que lui arrive-t-il ? Il devrait être avec ses bêtes.

Tout à l'heure, j'étais légère comme un oiseau, mais maintenant, je suis lourde comme une pierre. J'entends toujours ce pssh que fait mon cœur.

– On dirait que tu vas mieux, petite princesse, murmure une voix à mon oreille.

Dans le demi-jour, je devine une grosse femme penchée sur moi.

– Qu'est-ce qui se passe, Raïla ?

Elle ne répond pas tout de suite.

– Je ne sais pas comment te dire, fait-elle en me prenant la main.

Ça doit être la première fois de sa vie que la grosse Raïla ne sait pas quoi dire ! Mais, lorsque les adultes commencent comme ça, c'est qu'il se passe des choses graves. Un frisson me parcourt. Raïla me malaxe la main comme si c'était de la pâte à galettes.

– C'est Maswala, continue-t-elle si bas que j'ai du mal à l'entendre.

Les battements de mon cœur se transforment en sauts de cabri.

– Elle… Elle s'est fait piquer par un scorpion.

Les sauts de cabri deviennent des ruades.

Des scorpions, chez nous, il y en a plein. Des

minuscules, des moyens, des énormes, des noirs, des bruns, des gris, des jaunes, et d'autres presque invisibles, couleur poussière. Ils guettent leurs proies, immobiles sous les pierres. Malheur à qui marche dessus.

À mi-voix, pour ne pas me bousculer, la grosse Raïla me raconte…

C'est Mlle Habari qui a donné l'alerte. Pour moi d'abord qui m'étais évanouie, mais aussi pour Maswala qui ne revenait pas. Heureusement, Zinhle était là pour me glisser entre les lèvres les dix gouttes du remède d'Apollinaire. Pour Maswala, les choses ont été plus compliquées. Où était-elle ? Personne ne le savait exactement. Les collines rouges sont immenses et on peut s'y perdre sans espoir de jamais retrouver son chemin. Tout le village est parti à sa recherche, au plus épais de la chaleur.

– On a tout fouillé pendant des heures, petite princesse. Chaque recoin, chaque creux de roche, chaque fissure… Mais c'était comme si la chaleur avait fait fondre notre Swala. C'est Dadjara qui l'a découverte juste avant la nuit.

Swala s'était traînée à l'ombre d'un rocher et délirait, le corps trempé de sueur. Sa jambe était énorme, toute violacée, boursouflée par le venin d'un *njanonge*, un scorpion jaune.

Raïla pousse un soupir de vache.

– Zuzu l'a ramenée au village, murmure-t-elle encore, et depuis la vieille Thabang la soigne mais…

Elle ne finit pas sa phrase.

– L'institutrice pense que les mots et les onguents de ta grand-mère n'y feront rien. Elle dit qu'il faudrait un vrai médecin, comme à l'hôpital, mais le téléphone de Kathelo refusait de fonctionner. Alors elle est partie ce matin avec Zacaria, ils ne seront pas de retour avant des heures…

Raïla me serre contre son énorme poitrine avant d'ajouter :

– Tu vois, Zuzu avait raison. Si elle avait mis les chaussures qu'il lui a offertes.

Je tremble comme une herbe dans le vent. Je tente de calmer mon petit cœur en respirant lentement, longuement, comme me le conseille

Apollinaire. Tout doux, mon petit cœur imbécile. Arrête un peu tes bêtises, je dois aller voir Maswala, je dois l'aider. Tu comprends ?…

Elle est étendue. Sa jambe est horrible, énorme, tachetée de plaques noires et déformée par le venin. Le visage ruisselant, elle regarde devant elle sans me voir, un filet de bave blanche au bord des lèvres.

– Nge, murmure-t-elle, njanonge… Le scorpion…

Les yeux mi-clos, grand-mère Thabang murmure des phrases étranges qui vont et viennent et tournoient dans la pièce comme des chauves-souris. De temps à autre, elle enduit la jambe de sa fille d'un onguent à base d'écorce de marula.

Je m'accroupis auprès d'elle. Si on s'y met à deux, elle et moi, Maswala guérira peut-être plus vite. Je répète sans les comprendre les mots qu'elle chuchote. Parfois j'invente un peu, alors grand-mère recommence, encore et encore… Jusqu'à ce que j'y arrive.

La grosse Raïla se lève sans bruit, onc'Benia jappe toujours dans son coin et les tôles du toit craquent. Moi, je garde les yeux fermés et, comme grand-Mère Thabang, je prononce les mots des wachawi. Nos voix bourdonnent des secrets qui vont guérir Maswala.

25

Les heures passent. Tantôt Maswala grelotte de froid et tantôt elle ruisselle de sueur. Son regard nous traverse comme si nous étions transparents. Malgré tous les mots qu'on rabâche depuis des heures et tous les onguents de grand-mère, la jambe de Maswala reste toujours aussi grosse et violacée.

Maintenant, les voisins baissent la voix en passant devant notre keja. Chacun sait que le venin du njanonge est redoutable.

La voix de grand-mère Thabang finit par s'éteindre. Elle secoue doucement la tête.

– Ce soir, j'irai dans les collines.

Lorsque grand-mère annonce qu'elle va « dans les collines », c'est que les choses sont si graves qu'à elle seule elle ne peut rien faire. Elle doit demander l'aide des ancêtres. Elle part à la tombée du soir, au moment où les esprits de la nuit se mettent à rôder, et va dans des lieux connus d'elle seule. Elle y reste toute la nuit, sans bouger, à écouter le froissement des herbes, le piaulement des chacals et les voix des ancêtres qui parlent dans le vent.

Elle dit qu'ils viennent la conseiller, qu'ils sont comme des guides, à lui indiquer le chemin.

Elle tire une bouffée de sa pipe et me fixe derrière ses paupières plissées.

– Mais ce soir tu viendras avec moi, bintizuri. Je suis vieille et je peux mourir à tout instant. Il est temps que je t'apprenne toutes ces choses…

– Tu oublies mon imbécile de petit cœur, grand-mère. Jamais je ne pourrai te suivre.

– Benia te portera sur son dos, comme lorsque tu vas à l'école. Mais cette fois, au lieu que ce soit une femme de la ville qui t'apprenne je ne sais quoi, c'est moi qui t'apprendrai ce que je sais. Il est temps.

Je ne dis rien. Même pas pour défendre Mlle Habari. Une étrange fierté m'envahit. Jamais encore je ne suis allée dans les collines, mon imbécile de petit cœur me l'interdit, jamais je n'ai passé une nuit dehors mais, surtout, jamais grand-mère Thabang n'a autorisé quiconque à l'accompagner. Je suis la première, la seule. Peut-être parce que ses ancêtres sont aussi les miens…

Et, comme si elle devinait mes pensées, grand-mère Thabang ajoute :

– Quand je serai morte, c'est toi qui iras dans les collines et moi qui te parlerai dans le vent. J'ai encore bien des choses à t'apprendre. Et la première, c'est qu'il faut que tu emportes un cadeau avec toi.

– Un cadeau ?…

– Oui, une chose à laquelle tu tiens particulièrement. Les ancêtres aiment recevoir des cadeaux.

26

La nuit envahit le ciel et les collines se couvrent d'ombres. Le chemin s'efface entre les épineux et les roches polies par le vent, il n'est plus qu'une trace qui serpente dans l'obscurité. Personne ne vient jamais ici. Onc'Benia me dépose à côté de grand-mère Thabang, il gémit doucement et jette des regards inquiets autour de lui comme s'il redoutait de voir surgir une armée de fantômes.

– Tu n'as rien à craindre, Benia, fait grand-mère avec un sourire édenté. Tu vas rester ici, nous attendre. Je porterai Sisanda pour le reste du chemin. On te retrouvera demain.

Onc'Benia se recroqueville dans un trou de rocher, grand-mère me fait signe de grimper sur son dos et on poursuit le chemin à petits pas tandis que la nuit nous enveloppe.

Pendant quelques instants encore, on entend onc'Benia chantonner à mi-voix pour se donner du courage. Et puis il ne reste que le silence, le crissement des pas de grand-mère et l'essoufflement de sa respiration.

Je serre dans ma main le cadeau que j'ai préparé pour les ancêtres. La silhouette d'un énorme acacia émerge de l'obscurité.

– Nous y voilà, souffle grand-mère, hors d'haleine. L'arbre des ancêtres. Il était là bien avant que la grand-mère de la grand-mère de ma grand-mère soit née, ses racines plongent au centre du monde…

– *Ujambo*, murmure-t-elle. Bonjour.

Elle effleure le tronc crevassé et dépose une pincée de tabac dans une fente du tronc.

– À toi, Sisanda.

J'y glisse à mon tour mon cadeau. « Une chose à laquelle tu tiens particulièrement… » L'article du journal.

Les branches de l'acacia bruissent. Je me serre contre grand-mère, qui allume sa pipe.

– La seule chose à faire, maintenant, c'est écouter.

– Écouter quoi ?…

Elle ne répond pas. La nuit se referme, gorgée de silence, de craquements et de froissements minuscules. C'est à peine si j'ose respirer. J'écoute les fourmillements de l'obscurité et je pense à Maswala, à sa fièvre, à sa jambe, au scorpion qui l'a piquée…

Un criquet grésille, aussitôt suivi de centaines d'autres. Un chacal glapit, tout proche, et une bête détale entre les herbes sèches.

Je m'aperçois soudain que mon imbécile de petit cœur aurait dû depuis longtemps se lancer dans l'une de ces cavalcades dont il a le secret. Et là, rien !

Tu te rends compte, mon petit cœur ?… Toi qui d'habitude occupes toutes mes pensées, toi dont je compte les battements cent fois par jour, et que je dois sans cesse calmer, voilà des heures que je n'ai pas pensé à toi.

Je vais te confier une chose : tu n'imagines pas comme ça me fait du bien de t'oublier un peu !

Mais je dois te dire une autre chose. Le marathon, c'est fini. Jamais Maswala ne pourra le courir. Il va falloir que tu te débrouilles pour battre jusqu'au prochain marathon, dans un an et dix-sept jours. Trois cent quatre-vingt-deux jours, avec ou sans pschhht. Tu m'as bien comprise ?

– Toudoum… pshh. Toudoum… pshh. Toudoum… pshh, répond mon imbécile de petit cœur qui ne comprend rien à rien.

Et je m'aperçois soudain que grand-mère chante. Ce n'est qu'un filet de voix à peine distinct des bruits de la nuit et dans lequel le nom de Swala revient sans cesse, comme un refrain. Toujours sur les mêmes notes. Swala… Swala… Swala…

Je l'imite tout doucement.

Le nom de maman tourbillonne dans la nuit, il se mêle aux grésillements des insectes et s'enroule autour des herbes. Ma bouche parle toute seule, mes yeux se ferment…

Swala… Swala… Swala…

Tout là-bas, une tache claire apparaît dans l'obscurité. Elle vient par ici… C'est une antilope ! Une antilope du désert avec ses longues cornes courbes et sa tache blanche sur le museau. Elle avance pas à pas et s'arrête tout près de moi. Il suffirait que je tende la main pour la toucher. Surtout ne pas bouger, ne pas faire un geste… Les antilopes sont si farouches qu'on peut vivre ici des années sans même se douter de leur présence ! Son museau m'effleure, je sens son odeur, sa peau, son souffle… Ma main se pose sur elle, elle tressaille mais ne s'enfuit pas.

Swala… Swala…

Et elle file dans la nuit, si brusquement que ma main reste en suspens.

Le froid du matin me fait frissonner. J'ouvre les yeux, le ciel est encore noir, juste un peu plus clair vers l'est. Je suis étendue par terre, une grosse couverture sur moi. À quelques pas de là, assise sur un rocher, son éternelle pipe aux lèvres, grand-mère Thabang guette mon réveil.

– J'ai vu une antilope, grand-mère. Elle est venue si près de moi que j'ai pu la caresser.

Grand-mère sourit en entrouvrant la main. Au creux de sa paume, je devine une petite touffe de poils nouée avec une herbe.

– Mais alors… C'était vrai. L'antilope est vraiment venue cette nuit ?

Elle pose un doigt sur ses lèvres.

– Viens. Il est temps de redescendre.

On entend ses murmures bien avant de retrouver onc'Benia. Il n'a pas bougé d'un centimètre depuis hier. Il est comme ça, onc'Benia. Il m'examine sur toutes les faces comme pour s'assurer qu'il ne m'est rien arrivé pendant la nuit. Grand-mère Thabang pose de nouveau un doigt sur ses lèvres.

– Personne ne doit savoir, murmure-t-elle.

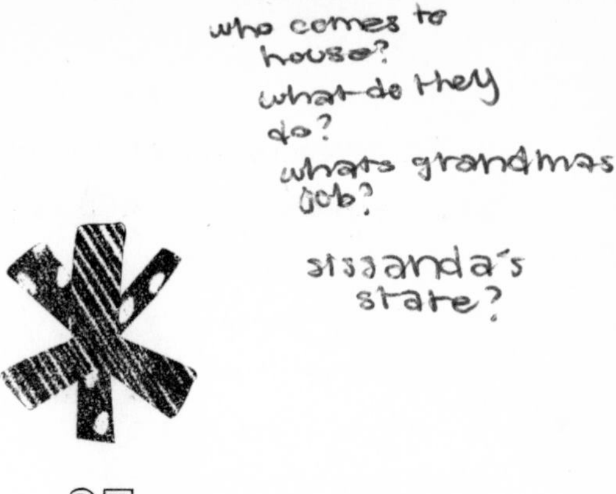

27

Tandis qu'on redescend vers le village, un grondement de moteur monte de la vallée. Dans le jour qui se lève, un nuage de poussière apparaît à l'horizon. La vieille Land Rover de Zacaria cahote sur la piste, suivie d'une autre, toute blanche, qui s'arrête devant notre keja. Mlle Habari en descend, suivie d'un homme qui porte une mallette à la main. De loin, je reconnais aussitôt cette grande silhouette.

– Qui c'est, celui-là ? gronde grand-mère Thabang.

– C'est Mwaï, l'infirmier. Il vient pour Maswala.

Grand-mère crache un jet de salive dans la poussière tandis qu'onc'Benia accélère le pas.

▲▼▲

Maswala respire par saccades.

Toujours inconsciente, les yeux fixes et les lèvres cernées de bave, elle tremble de fièvre.

Mwaï prend son pouls. Il sort une seringue de sa mallette, l'emplit d'un liquide transparent comme de l'eau et en fait gicler quelques gouttes. Il noue une bande de caoutchouc en haut de la jambe de Maswala, nettoie sa peau et, sans hésiter, enfonce l'aiguille.

– *Bozibozi*, grommelle grand-mère Thabang en haussant les épaules, l'imbécile. S'il s'imagine que c'est en la piquant comme un scorpion qu'elle va guérir…

Sans un regard pour Mwaï, elle me tend une cordelette sur laquelle elle a noué la petite mèche de poils de l'antilope.

– Attache-la autour du cou de Swala. C'est à toi de le faire.

Mon cœur s'emballe tandis que j'effleure la peau brûlante de Maswala. Les mains tremblantes, je noue la cordelette à son cou. Mwaï me glisse un sourire.

– Tu as raison, Sisanda, il faut tout faire pour aider ta mère.

– Bozibozi, répète grand-mère en lui jetant un regard mauvais.

Personne ne bouge. Onc'Benia chantonne, grand-mère Thabang a repris ses marmonnements et Mwaï ne quitte pas Maswala des yeux. Quant à moi, les mains pressées sur ma poitrine, je tente de contenir les ruades de mon petit cœur. Comment une simple touffe de poils pourrait-elle soigner Maswala ? Comment l'espèce de liquide transparent du grand infirmier pourrait-il guérir du venin de njanonge ?

L'air est si lourd que je peine à respirer. Un bras se glisse autour de mes épaules.

– Tu devrais te reposer, maintenant, Sisanda.

Je me laisse aller contre Mlle Habari en fermant les yeux et, aussitôt, des milliers d'images défilent. Maswala en train de courir, le scorpion, l'antilope… J'aimerais que Mlle Habari me dise que Maswala va guérir. Elle sait plein de choses. Peut-être sait-elle ça aussi… Elle parle si doucement que le son de sa voix se confond avec celle d'onc'Benia.

Impossible de lutter contre la fatigue qui m'écrase.

28

Le rire de la grosse Raïla dévale comme l'eau à la saison des pluies. J'entrouvre les yeux. D'autres rires lui répondent, des voix se croisent et s'interpellent… Notre keja est vide. Aucune trace de Maswala, ni d'onc'Benia, ni de Mlle Habari. Sans prendre le temps d'écouter mon cœur, ni rien, je me glisse dehors.

Dans un brouhaha assourdissant, tout le village se presse devant chez nous tandis que le rire de Raïla reprend de plus belle. Il part de très haut et dégringole en entraînant tout sur son passage.

– Poussez-vous ! braille-t-elle en se précipitant

vers moi. Poussez-vous de là, que la petite puisse voir sa mère ! Regarde, Sisanda ! Regarde-la, notre Swala !

Les autres s'écartent et j'aperçois Maswala, debout, appuyée sur une canne.

Raïla roule vers moi, elle me soulève comme une plume et esquisse un pas de danse. Tous ses bourrelets font floc-floc. Elle me dépose aux pieds de Maswala.

– Montre, Swala, lance-t-elle, montre à ta fille comment tu marches !

Le visage crispé de douleur et les yeux encore brillants de fièvre, Maswala boitille sur quelques mètres. Onc'Benia bat des mains comme un gamin heureux.

Grand-mère Thabang me montre la mèche de poils d'antilope qui pend toujours au cou de Maswala.

– Sans toi, ma petite princesse, Swala serait morte.

Mwaï lui adresse un sourire resplendissant auquel grand-mère répond par une grimace.

– Tu as raison, vieille Thabang. Il fallait bien

deux médecines pour combattre le venin du njanonge, la tienne, et la mienne.

Et il adresse un autre sourire resplendissant à Mlle Quoi-de-Neuf, qui se glisse à côté de lui avec une robe que je ne lui connaissais pas.

29

Trois mille quatre cent cinquante-quatre jours que mon cœur bat n'importe comment, mais qu'il bat, ce qui est mieux que rien.

Plus que dix jours avant le marathon.

Oublie ce que je t'ai dit l'autre jour, mon petit cœur imbécile. Maswala va courir. Elle l'a décidé et rien ni personne ne pourrait l'arrêter.

Avant de repartir, Mwaï lui a pourtant bien dit de ne pas faire d'efforts.

– Tes muscles doivent d'abord oublier la blessure du scorpion.

Il ne savait pas à qui il s'adressait. Maswala l'a remercié avec un grand sourire mais, dès le lendemain, elle s'est remise à courir. Oh, trois fois rien ! Un simple tour de village qu'elle a fait en clopinant et dont elle est ressortie exténuée et le visage marqué de douleur.

Tout le monde a pensé qu'elle allait s'arrêter là, qu'elle avait enfin compris que Mwaï avait raison. Mais non ! Même blessée, une antilope continue à courir. Elle a tout juste pris le temps de se reposer et elle est repartie. Cette fois, elle a fait deux fois le tour du village en gémissant à chaque pas. À cause de sa blessure, bien sûr, mais aussi à cause de ses chaussures.

Oui, tu as bien entendu, mon petit cœur ! Maswala a décidé de mettre les chaussures qu'onc'Benia lui a offertes. Ses grands pieds n'aiment pas cela mais Maswala est entêtée. Elle les enduit avec l'un de ces onguents dont grand-mère Thabang a le secret, frotte sa jambe avec de l'écorce de marula et repart. Chaque jour un peu plus loin, chaque jour un peu plus longtemps.

Et voilà qu'aujourd'hui, une semaine à peine après la piqûre du njanonge, elle a décidé de retourner dans les collines.

– Tutaonana, Sisanda, me souffle-t-elle avant

de partir. Ne t'inquiète pas, je serai plus longue que d'habitude, mais cette fois, il ne peut rien m'arriver.

Elle me montre ses chaussures et s'éloigne en boitillant dans le petit jour.

Tout ça pour nous, mon imbécile de petit cœur. Toi et moi.

30

Sept fois quatre, vingt…

La voiture de la poste freine devant l'école et Mlle Habari s'arrête net.

– Mlle Habari, c'est toi ? demande le facteur en lui tendant une enveloppe.

– Je ne crois pas t'avoir déjà porté de courrier, poursuit-il dans un sourire. Je vois beaucoup de monde et parfois je confonds les gens, mais on se souvient d'une femme comme toi…

J'écarquille les yeux. Cette phrase-là, je l'ai déjà entendue le jour où il a apporté la lettre du marathon à Maswala ! Je me demande s'il répète la même chose à toutes les femmes qu'il croise…

Mais notre institutrice ne relève même pas la tête. Elle déchire l'enveloppe et en tire une lettre qu'elle lit aussitôt, le sourire aux lèvres, avant de l'enfourner dans son cartable.

– Alors ? demande le facteur. Quoi de neuf, mademoiselle Quoi-de-Neuf ?

Et il éclate de rire à sa propre blague.

– Ça ne te regarde pas, répond Mlle Habari d'un petit air pincé.

Mais moi, je sais ce qu'il y a de neuf… Je suis allée assez souvent à l'hôpital pour reconnaître les enveloppes qui viennent de là-bas. Les lettres de l'hôpital ne font pas souvent sourire, sauf peut-être si elles sont écrites par un grand infirmier qui s'appelle Mwaï…

– Regardez, là-bas ! crie soudain Masinde. C'est la mère de Sisanda.

Maswala vient d'apparaître au sommet de la colline, mais toute sa légèreté d'avant s'est envolée. Elle clopine et boitille entre les herbes, comme si sa jambe pesait des tonnes.

Sous les yeux éberlués du facteur, toute la classe se précipite à la fenêtre, Mlle Habari comprise. Zinhle, Masinde, Zipporah… Tous se mettent à hurler « Swa-la ! Swa-la ! Swa-la ! » en martelant du poing sur les tables.

Les voisins sortent alors sur le seuil des kejas. Comme pour un jour de fête, ils commencent à frapper dans leurs mains, certains sortent les djembe, la grosse Raïla tournoie sur elle-même en poussant des youyous suraigus tandis que là-bas la longue silhouette de Maswala continue sa course toute bancale.

– C'est tous les jours comme ça chez vous ? demande le facteur, qui n'y comprend rien.

Mais personne ne fait attention à lui.

Moi, je ne bouge pas. Mon imbécile de petit cœur me l'interdit mais il se charge à lui tout seul de cogner dans tous les sens pour encourager Maswala.

31

L'antilope est revenue cette nuit, alors que tout le monde dormait... Je l'ai vue arriver de loin malgré l'obscurité. La petite tache claire a grossi, grossi... jusqu'à ce que je distingue la finesse de ses pattes, ses longues cornes et les poils blancs de son museau.

On est restées un moment à se regarder, elle et moi. J'avais envie de tendre la main, de la caresser, mais je savais qu'elle s'enfuirait au moindre geste. Alors je suis restée sans bouger, à regarder ses muscles frémir sous son pelage, et à sentir la chaleur de son souffle sur ma peau.

Comme la première fois, je l'ai à peine vue

s'enfuir. J'ai juste eu le temps de remarquer qu'elle boitait légèrement. Peut-être s'est-elle aussi fait piquer par le njanonge.

J'entrouvre les yeux. Le rideau des parents bouge si doucement qu'on pourrait croire que c'est le vent, mais je sais bien que c'est Maswala.

J'écoute mon cœur. Toudoum… pssh. Toudoum… pssh. Toudoum… pssh.

Pour le « pssh », je n'ai rien dit à personne, ni à Maswala, ni à grand-mère. C'est un secret entre mon petit cœur imbécile et moi. Le seul à qui je pourrais en parler, c'est Apollinaire. Peut-être sera-t-il content de savoir que j'entends enfin ce petit bruit minable.

Maswala s'accroupit à côté de moi, mais, cette fois, je ne fais pas semblant de dormir. On se regarde dans la pénombre du matin.

Trois mille quatre cent soixante-deux jours que mon cœur bat. Dans deux jours, ce sera le marathon de Kamjuni. C'est le dernier entraînement de Maswala.

Pa'Jabari a appelé hier. Il a dit qu'il pensait beaucoup à nous, qu'il avait vu Maswala en rêve et qu'il était sûr qu'elle allait gagner. Il a ajouté que tout allait bien, qu'il ne fallait pas s'inquiéter et qu'il rentrerait bientôt.

Maswala dit la même chose. Que tout va bien, qu'elle court comme avant et que le venin du njanonge n'est plus qu'une vieille histoire.

Mais rien n'est vrai ! Pa'Jabari ne rentrera pas bientôt, et Maswala ne court pas aussi bien qu'avant. Le soir, je l'entends parler à voix basse. J'ai l'impression d'avoir une jambe de bois, Jabari, de plus rien sentir… Sa voix vibre comme si elle allait pleurer.

Elle me caresse la joue. La petite cordelette qui pend à son cou m'effleure la peau. J'aimerais lui parler de l'antilope mais… « Personne ne doit savoir, Sisanda, personne… »

Sauf que Maswala n'est pas « personne »…

– Tutaonana, Sisanda.

Elle se glisse dehors et file dans le petit jour en boitillant. Comme l'antilope de cette nuit.

32

Jamais le 4 × 4 de Zacaria n'a été si beau.

Sur le capot, Zipporah a peint une antilope en train de bondir, tandis qu'avec Zinhle on écrivait sur les portières un *Swala shujaa* en lettres multicolores. Swala sera la première.

Personne n'en doute.

La grosse Raïla chante à pleine voix que Maswala va gagner, elle invente les paroles au fur et à mesure. Le refrain est simple, *Swala shujaa*, répété des dizaines de fois, tandis que les autres frappent dans leurs mains. On n'entend plus que ça dans tout le village, *Swala shujaa, Swala shujaa*… Onc'Benia tourne comme un ours en souriant au ciel, le vieux Blamedi braille comme un âne, Mlle Habari virevolte dans sa robe rouge et grand-mère elle-même danse avec les autres, les yeux mi-clos, en souriant de toutes les rides de son visage.

La seule qui n'est pas là, c'est Maswala.

Enfin... Elle n'est pas la seule puisque je suis avec elle. On prépare ses affaires. Trois fois rien, un petit sac dans lequel elle glisse sa robe des grandes occasions. La bleue.

– On ne sait jamais... Si je gagne, il faudra peut-être que je me fasse belle.

Ça la fait rire. Moi, je ne dis rien, les mots se coincent au fond de ma gorge. Ses grands bras se referment sur moi tandis que dehors les autres continuent à chanter comme des dingues. Maintenant que Maswala va partir, je voudrais qu'elle reste. Voilà trois mille quatre cent soixante-trois jours que mon imbécile de petit cœur fait n'importe quoi. Peut-être qu'Apollinaire se trompe de bout en bout... Peut-être que je suis fabriquée comme ça et que personne n'y peut rien.

Maswala me repousse doucement.

– Allez, Sisanda, il est temps que je parte, maintenant. C'est loin, Kamjuni, tu sais…

Je sais. Avec Mlle Habari, on a regardé sur une carte. C'est à l'autre bout du pays, bien plus loin que l'hôpital. Il faut au moins quinze heures de route pour y arriver, dit Zacaria, qui est le seul du village à y être allé, quand il était militaire.

– Une ville tellement grande, fait-il en montrant l'horizon, qu'on ne peut même pas l'imaginer quand on habite ici.

Il écrase sa cigarette dans le sable et regarde Maswala.

– On y va ?…

Maswala me soulève comme si je ne pesais rien et esquisse quelques pas de danse en me serrant contre elle. Elle m'embrasse, onc'Benia me prend sur ses épaules et la Land Rover démarre avec ses pétarades habituelles. Les autres dansent et braillent à tue-tête leurs *Swala shujaa*. Par chance, mon petit cœur n'a pas trop envie de faire le crétin. Il doit enfin se rendre compte que tout ça, c'est à cause de lui.

– *Baadaye !* me crie Maswala. À bientôt, Sisanda.

J'ai un peu de mal à lui sortir mon plus beau sourire. Le 4 × 4 s'éloigne mais onc'Benia n'a pas l'intention d'en rester là. Il me bloque contre ses épaules et part au galop en poursuivant la voiture de Zac, qui prend de plus en plus de vitesse. On dirait que rien ne peut l'arrêter, il bondit et fonce comme un taureau tandis que je cahote en tous sens. Il ne s'arrête que lorsque la Land Rover n'est plus qu'un petit nuage de poussière tout là-bas, au bout de la piste, et, hors d'haleine, se laisse tomber par terre en hennissant de rire.

Mon imbécile de petit cœur ne déteste rien tant que ce genre de folie. Je reste sans bouger, étendue à côté de lui, le souffle rauque, à tenter de contenir tout le ramdam de ma poitrine. Autour de moi, le monde tourbillonne de plus en plus vite, comme pour m'entraîner dans un gigantesque trou noir. Le ciel s'obscurcit et les coups de boutoir de mon cœur s'emballent. Très loin, j'entends le rire d'onc'Benia se transformer en jappements de chiot.

Je sens entre mes lèvres les gouttes amères d'Apollinaire. Le tourbillon s'apaise, la cavalcade de mon cœur se calme peu à peu, le jour revient doucement. Je ne bouge toujours pas. Je serais incapable de dire si mon malaise n'a duré que quelques secondes ou bien plus longtemps.

La première chose que je vois, tout près de moi, ce sont les joues trempées de larmes d'onc'Benia. Et puis Zinhle qui se force à sourire. Et Zipporah. Et la grosse Raïla qui m'adresse un clin d'œil.

– Mosmos, murmure la vieille voix de grand-mère Thabang, doucement.

J'écoute. Toudoum… pshh… Toudoum… pshh… Je suis vivante.

Mon petit cœur, faut que tu tiennes encore le coup, encore un peu. Jusqu'à ce que Maswala gagne.

33

– Poussez-vous ! Poussez-vous de là, je vous dis !

C'est Kathelo. Hors d'haleine, il trimballe un énorme carton à bout de bras.

– Hé, Zuzu, donne-moi un coup de main !… Là… Comme ça… Attention ! C'est fragile.

Kathelo et onc'Benia déposent le carton au pied de l'acacia, juste devant notre keja.

– Qu'est-ce que c'est ? demande quelqu'un.

L'épicier prend son air le plus mystérieux.

– C'est pour que la petite puisse voir sa mère courir.

Voir Maswala courir ?… Les autres s'approchent, et, d'un geste théâtral, Kathelo ouvre le carton.

– Et voilà ! triomphe-t-il.

On pourrait entendre une mouche voler. La première à reprendre ses esprits, c'est la grosse Raïla.

– Une télévision !

On écarquille les yeux. Une télévision ?… Chez nous ?… Le père de Masinde se met à rigoler doucement.

– Tu as juste oublié un détail, monsieur le gros malin.

– Ah oui ?… fait Kathelo avec un grand sourire.

Le père de Masinde s'étouffe de rire.

– Avant de regarder ta télé, il faudrait d'abord que l'électricité arrive jusqu'ici…

Le sourire de Kathelo s'élargit.

– Viens avec moi, Zuzu.

Radieux, onc'Benia suit Kathelo en chantonnant. Ils reviennent un instant plus tard en tirant un drôle de truc à roulettes qu'ils installent à côté de la télé. Sans un mot, Kathelo vide tout un bidon de gasoil dans le réservoir. Il tripote une manette, appuie sur un bouton, tire sur une grosse ficelle… Et, dans une pétarade, son truc à roulettes démarre.

– C'est un groupe électrogène, fait Kathelo. Ça fabrique de l'électricité.

– Mais d'où tu sors tout ce bazar ?

Kathelo met un doigt sur ses lèvres.

– Secret professionnel.

Il branche la télé sur son engin, redresse les deux petites cornes métalliques de l'antenne… Des milliers de petits points de couleur fourmillent sur l'écran. On se bouscule.

– Qu'est-ce que c'est ?

– Attendez, faut la régler.

Kathelo attache un fil de fer à l'antenne et le relie à un râteau rouillé.

– Masinde, installe-moi ça dans l'arbre, le plus haut possible.

Masinde grimpe.

– Encore plus haut… À gauche… Un peu à droite… Encore…

Et soudain, on devine des visages. Une femme qui parle avec un homme.

– Ne bouge plus ! braille Kathelo qui sue comme un bœuf.

Ce n'est pas très clair à cause des lignes qui défilent à toute allure sur l'écran et on n'entend rien à cause du vacarme du groupe électrogène mais Kathelo semble ravi. Les visages se rapprochent jusqu'à ce que l'homme et la femme s'embrassent. Tout le monde hurle de rire.

– Tu es sûr qu'on verra Swala courir là-dessus ? demande Raïla en s'essuyant les yeux.

34

Trois mille quatre cent soixante-quatre jours que mon cœur bat et zéro jour avant le marathon. Dans quelques heures, Maswala va courir.

Impossible de dormir. Je ne pense qu'à ça. Quinze heures de route. Elle doit être arrivée à Kamjuni. À quoi ça peut bien ressembler, une ville comme ça ? Avec des rues partout, des milliers de gens et des voitures qui ne peuvent plus avancer tellement elles sont serrées. Je me demande comment fera Maswala pour courir au milieu de tout ce monde.

Grand-mère Thabang se tourne et se retourne en grommelant. Elle non plus n'arrive pas à dormir. Pas plus qu'onc'Benia. Je l'entends chantonner dehors, et, s'il chante, c'est qu'il ne dort pas.

Peut-être que personne ne dort dans le village. Chacun pense à Maswala. Même les chacals qui piaulent dans les collines, les insectes qui bourdonnent et les chauves-souris en chasse autour de l'acacia.

Parfois, mes paupières s'alourdissent et tout se mélange, la nuit, les aboiements des chacals et la voix d'onc'Benia… Je ne pense plus à rien.

C'est le moment que l'antilope choisit pour revenir. Elle boitille toujours… Je sens son odeur, j'entends son souffle et, soudain, elle file comme le vent et disparaît. Alors, les bruits de la nuit reviennent et je repense à Maswala qui va bientôt courir.

Dans l'obscurité, je devine grand-mère Thabang qui se lève, et va, et vient.

– Mosmos, bintizuri, fait-elle à mi-voix, comme si elle devinait que je ne dors pas. Doucement, petite princesse.

Je ne bouge plus, j'entends le vacarme des insectes, je pense à Maswala et mes yeux se ferment tandis que tout là-bas, noyée dans la pénombre, je devine l'antilope qui revient.

35

– Sisanda…

La main de Raïla me secoue doucement. Dehors, j'entends des brouhahas de voix et le grondement du groupe électrogène.

– C'est bientôt l'heure, me souffle Raïla.

Tout le village est rassemblé devant le téléviseur de Kathelo, les yeux scotchés à l'écran. C'est la première fois qu'il y a une télé ici, la première fois qu'on voit autant d'images. De loin, j'aperçois grand-mère Thabang. Elle s'est installée à l'écart et fume sa pipe en marmonnant que dans la vraie vie les gens ne sont pas tout plats comme sur l'appareil de Kathelo.

Je m'assois en face de l'écran, à côté de Zinhle et de Zipporah.

Une dame bien habillée nous regarde droit dans les yeux. Elle ne cesse de sourire tout en parlant de choses qu'on n'entend pas très bien à cause du bruit du moteur. De temps à autre, une rafale secoue les branches de l'acacia et le visage de la dame se tord au gré du vent.

– … lors des manifestations à Madagascar qui auraient fait plusieurs morts…

Sur l'écran, des gens très en colère jettent des tas de trucs sur les policiers qui leur foncent dessus en tapant avec leur matraque. La dame réapparaît, tout aussi souriante que s'il ne s'était rien passé.

– Et maintenant, le journal des sports, annonce-t-elle en se tournant vers un monsieur en cravate, un peu gros, qui n'a pas du tout l'air sportif.

Un coup de vent. L'image se brouille, on ne voit plus rien et tout le monde pousse des cris. Kathelo se précipite, tripote l'antenne… L'image revient.

– … pour le départ du marathon de Kamjuni.

Plus un mot. Pas un geste. Les yeux sont rivés

sur l'écran. Par-dessus le grondement du groupe électrogène, la voix d'onc'Benia devient soudain plus aiguë.

Des milliers de gens se pressent et sautillent sur place. Tous portent des dossards, jaune, vert, bleu, rouge… Au-dessus d'eux, une grande bannière flotte au vent, *Xe marathon de Kamjuni.*

– Elle est où, Swala ? braille le vieux Blamedi.

– C'est quoi, son numéro ? demande Raïla.

– 953, elle a le dossard 953 !

Mon petit cœur fait des siennes tandis que je cherche un 953 au milieu de la foule. Zinhle et Zipporah cherchent aussi, et tous les autres. Le vieux Blamedi ne sait pas à quoi ressemblent un 9, un 5 ou un 3, mais il ne quitte pas l'écran des yeux. L'image bouge sans cesse, on voit des gens, et puis d'autres… On ne sait jamais où on en est. Les haut-parleurs beuglent et les coureurs se resserrent soudain sous la grande bannière.

Toujours pas de Maswala…

Une détonation. Paw ! Et tout ce méli-mélo de jambes et de pieds se met en marche. La course vient de commencer. L'image se fixe sur un groupe d'hommes et de femmes qui se détachent dès les premiers mètres et courent, serrés les uns contre les autres. Où est Maswala ?... J'ai beau fouiller les moindres recoins de l'écran, je ne la vois pas. Mon cœur cogne comme un tambour. Reste tranquille, je t'en supplie ! Un marathon, c'est 42,195 km, on n'en est qu'aux tout premiers mètres.

La caméra quitte les premiers.

– Là ! hurle soudain Zipporah, elle est là !

Elle pointe son doigt sur l'écran. Mon cœur fait un bond.

– *Swala shujaa !* glapit Raïla.

Mais, à peine aperçue, la longue silhouette de Maswala disparaît déjà de l'écran.

Le spécialiste des sports réapparaît, toujours sanglé dans sa cravate, pour annoncer qu'il fera un point sur le marathon « d'ici une heure environ ».

36

Sauf grand-mère, qui ne veut même pas savoir à quoi ressemble une télévision, et le vieux Blamedi, qui est allé chercher une bouteille de bière, tous les yeux restent rivés à l'écran.

Les images défilent. De la publicité, des voitures, des choses qu'on peut acheter si on a plein d'argent, mais qu'on ne verra jamais dans l'épicerie de Kathelo. Toute fine dans une tenue scintillante, une fille vient chanter en tortillant des fesses. La grosse Raïla esquisse quelques pas de danse en l'imitant. Ses grosses fesses tremblotent.

– Elle est exactement comme moi, cette mignonne-là, s'esclaffe-t-elle, mais avec cent kilos de moins !

Tout le monde rigole. Moi, je ne regarde pas vraiment. Je pense à Maswala qui court. Je me demande si elle a réussi à rattraper les premières. D'autres chanteuses défilent, d'autres publicités... et, au bout d'un temps fou, le type en cravate revient avec son sourire collé sur le visage. Il faut deviner la moitié des mots à cause du vacarme du groupe électrogène.

– Et sans plus tarder, nous allons prendre des nouvelles du marathon de Kamjuni et je crois que...

Une bourrasque de vent soulève un nuage de terre sèche. J'enfouis aussitôt mon nez dans mes vêtements pour échapper à mon ennemi personnel. L'image vacille un instant avant de disparaître, remplacée par des milliers de minuscules points lumineux.

Pendant quelques secondes interminables, on ne voit plus rien, on n'entend plus rien. Kathelo s'active comme un fou, Masinde grimpe dans l'acacia pour mieux fixer le râteau...

Et l'image revient, un peu plus tordue qu'avant, prise de si haut que tous ces gens qui courent dans les rues de Kamjuni ressemblent à des fourmis. Et l'une de ces fourmis s'appelle Maswala. Le journaliste semble aussi essoufflé que s'il courait à côté des concurrents.

– Côté hommes, braille-t-il, la course semble jouée pour l'Éthiopien Haïle Guebre, qui a pris la tête dès les premiers kilomètres. En revanche, côté femmes, la surprise vient actuellement d'une parfaite inconnue dans le groupe de tête. Il s'agit du dossard 953. Je regarde ma liste… C'est… Oui, il s'agit de… de Swala Mahindra. Jamais inscrite dans un marathon, elle colle depuis le début aux pas de Magda Chepchumba, vainqueure l'an dernier…

La caméra s'attarde sur le visage ruisselant de Maswala. Les autres hurlent comme des déments. Moi, je ferme les yeux et j'essaye de contenir les gesticulations de mon imbécile de petit cœur.

J'entends les cris, le journaliste qui parle à toute allure et le gros sportif en cravate qui nous donne rendez-vous pour l'arrivée de ce marathon « passionnant et inattendu ». Je me demande si c'est à cause de Maswala.

Les pubs reviennent et les chanteuses aussi. Un énorme coup de vent secoue soudain les toits de tôle. Un tourbillon de poussière balaye le village de bout en bout. Des zigzags envahissent l'écran. L'image vacille, clignote… et tout disparaît !

Un « OHHHH » désespéré s'élève de toutes les poitrines.

Le vent du désert fête le marathon à sa façon.

Les grands bras d'onc'Benia me protègent, sa voix chantonne dans les aigus comme lorsqu'il est inquiet et Zinhle me prend la main. Mlle Habari voudrait que je m'abrite à cause du vent. Mais pas question ! De notre keja, je ne verrais rien de la course de Maswala !

Mon petit cœur imbécile n'aime rien de ce qui se passe. Ni la course, ni le vent. Il multiplie les pshh et les toudoudoudoum, comme si un orage se levait dans ma poitrine. Je ferme les yeux. Je voudrais oublier mon cœur, et la poussière, et le vent. Je respire à toutes petites goulées, le nez enfoui dans l'odeur de chèvre des vêtements d'onc'Benia.

J'ai un peu mal, l'impression qu'une fine pointe s'enfonce doucement dans ma poitrine.

Attends, mon petit cœur ! Attends ! Maswala va gagner… Elle l'a promis.

saying maswala will win,
her heart is racing

37

Le temps passe. Peut-être longtemps, ou peut-être pas. Je ne sais pas. Pour la première fois, mon petit chronomètre intérieur est en panne. Onc'Benia chantonne et, là-bas, grand-mère Thabang est aussi immobile qu'une statue. Les autres restent collés à l'écran. Ils poussent un grand « OHHH » lorsque l'image disparaît et un grand « AHHH » lorsqu'elle revient.

– … rivée du marathon de Kamjuni.

La phrase jaillit d'un coup, après un moment de crachouillis inaudibles. Blottie dans les bras d'onc'Benia, je ne bouge pas mais la petite pointe s'enfonce un peu plus dans ma poitrine.

Sur l'écran, on devine un groupe d'hommes. Le premier lève les bras, il tombe presque sur le cordon tendu en travers de la ligne d'arrivée et s'écroule par terre. Des gens se précipitent vers lui. Son visage occupe tout l'écran, tordu par l'effort.

– Le vainqueur du marathon masculin s'appelle Haïle Guebre, qui remporte ce marathon pour la cinquième fois, s'égosille le journaliste.

– On s'en fout ! gronde Raïla. Ce qu'on veut, c'est Swala !

Et, comme par magie, le visage de Maswala apparaît... pour s'effacer aussitôt, balayé par une rafale qui traverse le village en grondant comme un troupeau de bêtes furieuses.

Des lignes de toutes les couleurs se tortillent sur l'écran comme de minuscules serpents. Kathelo transpire et peste.

Skrouizzzz, blick, skrouizzz... fait la télé. Et puis tout revient, l'image et le son.

– ... du groupe de tête, glapit le journaliste, alors qu'il ne reste qu'environ deux kilomètres à parcourir.

Maswala est troisième mais une autre coureuse la talonne, le dossard 840.

840 = 4 × 5 × 6 × 7. Je pense à ça en un éclair. Il n'y a ni 1, ni 2, ni 3 là-dedans. Le dossard 840 n'aura ni la première, ni la deuxième, ni la troisième place... Elle est pourtant toute proche, juste dans le sillage de Maswala, qui vacille à chaque pas, comme si elle allait tomber. Sa jambe la fait souffrir, celle que le njanonge a piquée.

– La 953 semble terriblement à la peine, beugle le journaliste. Qui qu'elle soit et quelle que soit sa place à l'arrivée, elle aura mené une course éblouisskrouizzz...

Le vent brasse les branches de l'acacia dans tous les sens. De nouveau, l'écran tangue et s'obscurcit. On n'y voit plus rien.

Mon petit cœur me martèle les côtes. L'image réapparaît dans un brouillard de points lumineux. Je ne sais plus si les étincelles qui voltigent devant moi viennent de la télé ou de mes yeux.

– Mais que se passe-t-il ? s'étrangle la voix. La 953 va-t-elle abandonner si près du but ?

La fine aiguille qui me transperce la poitrine s'enfonce un peu plus. Maswala vient de s'arrêter. La caméra plonge sur elle, le visage crispé par l'effort. Le dossard 840 la dépasse aussitôt.

– *Swala shujaa* ! entonne une voix.

Tout le village hurle. Dans ma poitrine, la pointe se fait si aiguë que j'arrive à peine à respirer. Je me serre contre onc'Benia. Peut-être que sa grosse vie est assez forte pour protéger la mienne.

D'un geste, Maswala ôte ses chaussures et les jette au loin. Onc'Benia laisse échapper un miaulement de détresse tandis que Maswala se relève, trébuche et repart pieds nus.

– *Swala shujaa... Swala shujaa...*

Comme libérée d'un poids, elle accélère, sa jambe semble oublier le venin de njanonge. Elle rattrape la 840, la talonne à son tour...

Autour de moi, tous battent dans leurs mains et braillent à s'en déchirer la gorge, comme si Swala pouvait les entendre de tout là-bas. Tout se brouille. C'est peut-être la télé, ou alors mon petit cœur. Sais pas trop.

Maswala dépasse le 840 !

Tous hurlent, le journaliste comme ceux du village.

Mon cœur s'emballe, comme s'il envahissait ma tête, mon ventre, mes bras… Le sang bouillonne dans tout mon corps en faisant de grands pssh. « Un cœur en bonne santé ne fait pas pschhht, Sisanda. » J'ai l'impression qu'il va exploser.

Onc'Benia ne s'aperçoit de rien et crie à chaque foulée de Swala.

– … qui est en train rattraper le duo des premières, s'étrangle le journaliste. Cette femme est absolument extraordinaire. Elle termine ce marathon à une allure de 10 000 mètres, comme si rien ne pouskrouizzzz…

Le vent arrache soudain l'antenne de Kathelo, le râteau dégringole de l'acacia dans un grand fracas de ferraille.

Mes oreilles bourdonnent, j'ai très mal.

Le grand tourbillon noir m'aspire.

Tout s'éteint.

38

De la lumière partout.

Je referme les yeux, éblouie comme lorsqu'on fixe le soleil.

Sauf que ce n'est pas le soleil.

Derrière mes paupières fermées, une ombre passe. Toute proche. C'est peut-être l'antilope qui est revenue…

J'écoute… Je n'entends plus les battements de mon cœur.

Donc je suis morte.

so tonight we can say something anya

thats exactly what i was thinking of

yeah we should / i was watching a vid in health class that was saying things like this "warning signs" should take action

its a sign shes thinking abt it again

i feel like we could go to someone bc she is not ok

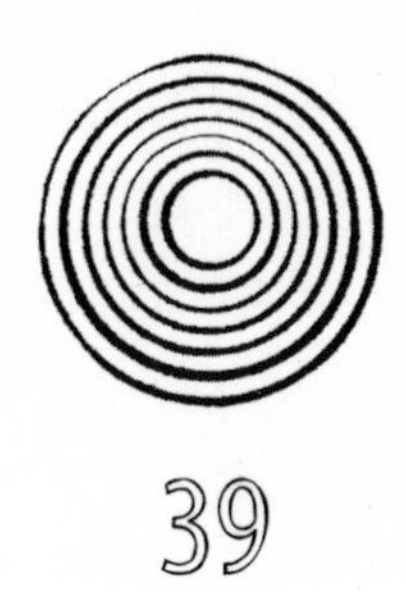

39

De la lumière partout. Je garde les yeux fermés. L'ombre revient. Une main se pose sur mon bras.

– Sisanda…

La voix de Maswala.

Ça fait combien de jours que je vis ? Mais non ! J'oubliais. Je suis morte. Je n'entends pas mon cœur. Mais je sens pourtant la main de Maswala, j'entends sa voix…

– Sisanda…

Cette fois, j'entrouvre les paupières. Où est-elle ? Je ne vois que ses yeux. Le reste est tout blanc, une blouse blanche, un calot blanc, un masque blanc devant la bouche… C'est peut-être comme ça quand on est mort. Tout blanc.

Je referme les yeux pendant que Maswala raconte.

Elle n'est pas arrivée première au marathon de Kamjuni. Ni même deuxième. Troisième seulement. Mais les journalistes étaient si curieux de savoir qui elle était qu'ils l'ont interviewée des milliers de fois. On l'a vue jusqu'au bout de la Terre pendant qu'elle racontait l'histoire de mon imbécile de petit cœur.

La voix de Maswala se voile.

– Alors les gens ont commencé à envoyer de l'argent, Sisanda. Ça venait de partout. Du monde entier. De quoi faire le voyage, et t'opérer dans le meilleur hôpital...

Je garde les yeux fermés. Pas envie de les ouvrir. Juste de sentir la grande ombre de Maswala à côté de moi.

Elle dit aussi que Pa'Jabari a téléphoné. Qu'il pense bien à moi. Que tout va bien, qu'on ne doit pas s'inquiéter, qu'il rentrera bientôt. Et que, chez nous, la saison des pluies a commencé...

Je me sens un peu fatiguée, je n'écoute plus. Maswala s'en aperçoit, elle se tait et me prend la main. Le silence qui s'abat est étourdissant mais je reste sur mes gardes, à guetter le moindre bruit.

Je n'ai pas l'habitude d'un tel calme.

Alors c'est ça, avoir un cœur comme tout le monde ?…

Ne pas t'entendre… Comme si tu n'étais pas là, mon petit cœur adoré ?

Du même auteur à *l'école des loisirs*

Collection MÉDIUM

Fils de guerre
Les yeux de Rose Andersen
Marie Curie
Charlemagne
Maestro !
Be safe
Il va y avoir du sport mais moi je reste tranquille (collectif)
L'attrape-rêves
Itawapa
Un monde sauvage
Le fils de l'Ursari

Collection MÉDIUM +

L'oasis
L'homme du jardin